NUE INDIA

Alexandre Bergamini

NUE INDIA

Journal d'un vagabond

arléa
16, rue de l'Odéon, 75006 Paris
www.arlea.fr

DU MÊME AUTEUR

Autopsie du sauvage, Dumerchez, 2003

Retourner l'infâme, Zulma, 2005

Cargo Mélancolie, Zulma, 2008

Sang damné, Seuil, 2011

Asile, Dumerchez, 2011

L'éditeur et l'auteur remercient René de Ceccatty.

L'auteur a bénéficié pour l'écriture de ce livre
du soutien du Centre national du livre.

EAN 9782363080493
Arléa © Mars 2014

La trop grande force du désir en empêchait la réalisation.

Pétrarque

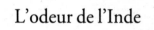

L'odeur de l'Inde

L'odeur est entrée tel un poison. Je n'ai aucune envie d'atterrir à Mumbay, aucune envie de rester ligoté à la bétaillère avec mes semblables. Notre destin se joue entre les parois d'un avion bringuebalant, d'une boîte de conserve jetée à la déchetterie. Une odeur de pourritures, de déchets brûlés, d'excréments, d'épices moisies et de fleurs séchées ; dix-sept heures de vol, une escale au milieu de la nuit dans un pays arabe délirant, il n'est pas 5 h du matin. Cette odeur est l'odeur de l'Inde dont j'ai rêvé ; celle que décrivaient Pasolini et Moravia. Leurs deux récits indiens dans ma mémoire. Impossible qu'Elsa Morante qui voyageait avec eux n'ait rien écrit, il manque un récit au trio d'amis. Cette odeur, une seconde peau de littérature, et un voile de puanteur réelle, de moiteur poisseuse qui colle à la peau.

L'enfer imprègne sa brûlure de sel par un rapt d'oxygène ; il consume ensuite le corps de l'intérieur. L'odeur de notre humanité est constituée de putréfactions, d'excréments et de fleurs sèches sur les tombes. La descente commence au cœur de la brume, un chaudron s'ouvre rougeoyant, les détritus brûlent sous notre nez, au travers des hublots où les particules s'accrochent en fines gouttelettes humides. Un air vicié se dégage de l'enfer, enfume l'appareil et nous assiège. Une prostituée violée nous accueille en sa plaie. Une fille battue borde la ville, encercle l'aéroport de hauts murs électrifiés et de fils barbelés ; Dharavi, le plus grand bidonville d'Asie surplombe et domine ; un million de personnes, la moitié de la population de Mumbay ; des êtres accrochés aux grillages le long de la piste. Où s'arrête Dharavi, où commence la ville ? Il n'y a pas de frontières déterminées. Les portes de l'avion s'ouvrent, un gaz toxique pénètre. Les démons sont lâchés, l'atmosphère est apocalyptique. L'air n'est pas de brume et ce n'est plus la nuit. Sur le tarmac, la mort saisit ma gorge et plaque mon nez à la poussière.

Un ami avait à peine posé le pied dans la capitale qu'un bus percutait devant ses yeux un enfant des rues. Le gamin estropié gisait sur le trottoir. Une femme avait appelé une ambulance, l'ami pratiquait des gestes de réanimations, personne d'autre ne lui venait en aide. La foule rassemblée autour d'eux était indifférente devant le destin d'un enfant des rues, curieuse du comportement de cet étranger. L'enfant, d'une dizaine d'années, agité de spasmes, expirait. L'attente de l'ambulance fut interminable, le vacarme de la ville effrayant, il allongea le gamin sur le trottoir au milieu des détritus, déposa une écharpe sur le visage inanimé et resta à ses côtés, immobile, incapable de bouger, incapable de penser. Les ambulanciers enlevèrent le corps inanimé et ne dirent rien. Un policier donna l'ordre de circuler. L'ami resta deux nuits et deux jours à Mumbay. Partir semblait être la seule issue.

Une amie venue passer un mois de vacances resta cloîtrée dans sa chambre d'hôtel, refusant d'en sortir, prise d'effroi et d'angoisses incontrôlables et incompréhensibles.

Elle raconta avoir croisé à l'hôtel un couple d'Occidentaux tombé dans un guet-apens de villageois refusant de les voir dormir à la belle étoile – ou s'agissait-il d'un lieu sacré ? Ils ne surent jamais pourquoi. Les villageois les avaient frappés, dépouillés, abandonnés inconscients dans un fossé.

À son arrivée, un jeune ami suisse avait quitté ses chaussures, brûlé ses papiers d'identité et son billet retour ; il se prenait pour Dieu et avait pour mission de régler la circulation.

Il n'est pas rare que des voyageurs soient rapatriés au bout de quelques jours ; ils sont étrangement atteints de maladies physiques ou de démences inexplicables qui disparaissent dès leur retour en Europe.

Durant dix nuits avant de prendre cet avion, j'ai rêvé de bras amputés, de jambes moignons qui gesticulaient et gémissaient, durant dix nuits mon esprit fut dévoré, assailli d'ombres indiennes ; cette odeur tenace imprégnait déjà mes rêves. Mon esprit hanté suppliait d'annuler le voyage, quelque chose en moi de persuasif conjurait de n'en rien faire. Chaque matin, j'étais démuni, mis à l'épreuve.

L'humidité et la chaleur favorisent la putréfaction. La chair n'a aucune résistance. La nature naît de la moisissure et de la mort, l'humanité de l'humus, les vers grouillent de force de destruction et de vitalité.

On appelle cela l'aube. La lumière diffuse est palpable, matérielle, la brume une pollution, le soleil dissimulé derrière les vapeurs et les effluves nocifs. Je voudrais remonter dans l'appareil, repartir, comment changer mon billet retour dès maintenant ? Dangerosité de l'air, moiteur nuisible, lueur mauve de particules de plastique consumées et ce territoire fauve étendu qui s'ouvre, impudique. Mes narines se rétrécissent, mes poumons se rétractent ; des goulées âcres attaquent ma gorge ; je suis noué, prêt à pleurer.

J'étais mieux à rêver de ce pays que de sentir la puanteur de la réalité, l'encens du bourbier. Je désirais la beauté, le pays des contes et des maharajas, non ces premiers symptômes de l'horreur, cette laideur, cette atmosphère malsaine ; un effroi presse mon cœur et m'enlève tout espoir de retour ; je ne serais plus jamais « intact ». J'aurais aimé atterrir en douceur sur la terre millénaire, non être jeté dans la matrice d'un chaudron bouillant.

Des gardes armés garantissent la sécurité de l'aéroport et nous protègent des pauvres qui nous envient. Au-delà des hauts murs barbelés, le brasier s'anime, les spectres s'agitent, accrochés aux grillages de sûreté ; ils le secouent avec rage, comme des détenus.

Mon taxi est réservé afin de rejoindre une gare de l'autre côté de la ville. Un bakchich à l'ami du chauffeur qui m'ouvre la porte, au cousin du chauffeur parce qu'il se trouve là et au chef des taxis puisque c'est le chef. Je ne discute pas, je suis épuisé, je donne afin de partir au plus vite, un train en direction du sud m'attend. Le chauffeur zigzague sur des pistes de poussière, des routes défoncées, entre des femmes qui implorent, bébés épinglés aux dos ; des maladies purulentes supplient, s'agrippent aux portes et gémissent ; le regard des chiens éclairés par les phares des voitures, des camions, des motos. La règle est de conduire sans règle et de sauver sa peau. Vaches sacrées sur les bas-côtés, au centre de la route, entre les zigzags ; hommes et femmes traversent le flot de ferrailles, surgissent au milieu de nulle part et des nuages noirs de gaz carboniques ; vieux démons, vieilles folles errantes jaillissent de l'hallucination. Un vieillard sec et nu dort sur le trottoir qui sépare la route en deux ; il sommeille parmi le brouhaha de la circulation et des klaxons, il dort à hauteur des pots d'échappement, les mains jointes sous sa joue, une pierre en guise d'oreiller. D'autres dorment ou sont morts, empaquetés et ficelés dans des toiles de jutes sales, serrés les uns contre les autres. Des squelettes voilés franchissent le fleuve des décombres, des princesses que la tôle frôle, bébés traînés comme des paquets, évitent les camions chargés à bloc de cargaisons inquiétantes et se dissipent dans les veines de la fournaise. Tonneaux, tôles, planches coupantes, pics aiguisés, ferraille. Harcelée par les cahots et les trous, la ville crache ses poumons. Le soleil éclaire l'épaisseur des émanations charbonneuses. Je suis asphyxié, ma gorge brûle, noircit la salive que je recrache dans mon mouchoir propre d'Occidental. À chaque arrêt, de longues mains sales se faufilent entre l'ouverture de la vitre à peine ouverte, des mains aigres, affamées, de sorcières et d'enfants estropiés serrent mon cou, m'étranglent, touchent ma nuque, mes cheveux, d'autres s'enfoncent en mes poches, en mes viscères afin de palper mes organes et de subtiliser ce qu'il y aurait de vital en moi. Chaque main se détache, se découpe et tripote mon visage ; des doigts entrent en ma bouche, fouillent les dents saines, trient ferrailles et or, se glissent au fond de ma mémoire pour ne plus en sortir. Je me sens violé. Une main empoigne ma pomme d'Adam, ne lâche pas, et me secoue.

Un pantin prostré. Je ferme les yeux, je ne sais pas prier mais je supplie que nous arrivions au plus vite, que le cauchemar cesse, que mon délire prenne fin. « Le désir est un cobra noir mortel. Dès qu'on rencontre son propre désir, on rencontre la mort. » Aucune trace ici de *mon* désir. Le désir à l'opposé de cette réalité, à son extrême ? La peur rend poreux. Mes plaies s'ouvrent, je ne pense pas, mon souffle halète. Je survis en animal blessé de chasse à courre.

Il montre du doigt l'entrée de la gare. Les regards féroces se tournent, les vautours se font signe et attendent. Je ne veux pas descendre ; je veux rester attaché à la ferraille, aux vieux sièges en cuir. Entre la gare et mon intention, il y a une fosse aux lions. La tôle est encerclée, le chauffeur réclame un nouveau bakchich puis me chasse comme un chien malade avec une sorte de regret, ou peut-être de remord. Je récupère ma respiration, cherche le courage que je porte dans mon sac à l'épaule. Je manque de trébucher sur un cul-de-jatte qui mendie sur un plateau à roulettes. Ses mains recouvertes de chaussettes bleues sales, des Nike, fabriquées sans doute en Inde. Il me sourit de toutes ses dents noires.

Je fixe l'entrée, on m'accroche, on s'agrippe. Lourd du poids des autres, j'abandonne quelques lambeaux aux hyènes, menace les plus faibles, évite les puissants, poursuit ma trajectoire d'un pas de mercenaire entre les projectiles. Si je venais à trébucher, ce serait la fin.

Il est 7 h du matin. Le jour s'extirpe d'une décharge à ciel ouvert. Le soleil s'arrache de la pollution acide et tente de percer. Je n'ai ni dormi, ni mangé, mon train partira à 13 h, je suis inscrit sur la liste des passagers, j'ai six heures d'attente. Le chef de gare me conduit dans la salle d'attente des hommes, assure que j'y serais en sécurité. Il a reconnu le faible d'esprit que je suis, il sait que je ne survivrai pas longtemps.

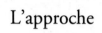

L'approche

Un dos large et rond essuyé par un torchon sale, une petite serviette blanche ceint des reins puissants ; le jeune homme se retourne, sourit à tous, yeux et dents illuminent la pièce. Une lumière au bout du tunnel. Ses cheveux jais auréolent sa tête ; un dieu campé sur des jambes solides tel un combattant au milieu du désastre. Il enlève un sac d'un siège, me fait signe de m'installer tout en continuant de sécher sa tête, découvre ses aisselles soyeuses et imberbes. Je m'assoie face à lui debout, à un mètre. Je sens l'odeur de savon et d'huile, l'odeur de sa peau, et la chaleur de son corps. Je ne vois que lui. Il parle peut-être hindi, rit avec les autres à mes dépens. Son corps massif n'a rien à voir avec l'idée que je me faisais des corps indiens. Les autres jeunes hommes apparaissent, nous entourent ; ce sont des garçons du Kérala et du Gujurat, entre quinze et dix huit ans, aux corps minces, finement musclés ou maigres. Ils passent de la salle d'attente aux toilettes où un seul robinet fonctionne ; ils soutirent un filet d'eau dans un gobelet en étain et se lavent entièrement. La salle de bains est immonde : crachats, morves, pisses, merdes débordent. Les garçons en ressortent propres, éclatants, lumineux ; cheveux noirs soyeux et huilés, peaux luisantes sentant le santal, l'huile de noix de coco et l'encens brûlé.

J'observe le va-et-vient des toilettes, le va-et-vient de la salle d'attente à la gare par une porte en bois délabrée, le défilé incessant des mendiants et des lépreux.

Le colosse aux yeux d'albâtre a fini de s'habiller ; il salue d'un *au revoir* en français ; son sourire me raccroche à la beauté.

Un lépreux se faufile. La main qu'il tend est un moignon rongé et purulent. L'autre main, qu'il cache, est un croc de boucher en bois. Je dépose une pièce sur sa peau prenant soin de ne pas l'effleurer : une lèpre purulente contagieuse serait transmise « par des gouttelettes d'origine buccale ou nasale, lors de contacts étroits et fréquents avec un sujet infecté et non traité » ; je viens de lire cela dans le guide de voyage. Pauvreté, exclusion et misère réunies. Pourvu qu'il n'éternue pas. Il ressemble à un animal écrasé. Son visage piqué de taches blanches, rosâtres, sa peau dépigmentée, ses yeux blancs ; il ne peut fermer sa bouche écorchée d'où un filet de bave glisse et bulle. L'intérieur est désastreux :

cartilage et langue de tortue. Il accroche son moignon humide sur la poignée. Ne jamais toucher cette poignée.

Ne jamais toucher les poignées ? Une petite fille met sa main de poupée sur le pommeau et referme la porte derrière elle. Cette petite main qu'elle glisse à l'intérieur de sa bouche. Un éboueur entre avec des gants noirs d'éboueurs qu'il pose sur la poignée, vide la poubelle remplie à ras-bord dans un sac, s'aidant de ses mains, ouvre la porte de son gant sordide. Ne jamais toucher les poignées sans se laver les mains par la suite.

Les garçons s'approchent pas à pas, se succèdent afin d'engager la conversation et me tenir compagnie. Ils viennent de différentes régions étudier à Mumbay et repartent chez eux le week-end. Ils s'organisent discrètement, forment un ballet fluide, deux par deux, se relaient sans me laisser un instant seul. Les regards sont doux, tendres, tristes dès qu'ils s'attardent au fond des miens, et en un miroir profond, plongent dans le vide. Le contact éclaire l'attention d'amitié et de joie, de sympathie fraternelle, immédiate. « Éclairés de l'intérieur », ils créent un sas cotonneux entre moi et la réalité, ils me protègent de moi-même. Nous prendrons le train de 13 h.

Ils proposent à boire, à manger, refusent que j'offre quoi que ce soit. Imaginer m'extraire de ce cocon est douloureux, je n'en ai pas la force, je ne suis pas prêt à affronter l'extérieur. Un des jeunes propose de m'accompagner.

Les vautours nous entourent, tentent de distraire l'attention de ce nouvel ami, de le détourner de ma présence. Mais il se débrouille habilement, trouve les arguments qui les obligent à reculer. Lorsque je lui demande ce qu'ils veulent, il dit simplement que ce sont de pauvres gens, il semble n'avoir aucun jugement sur ces types qui me dépouilleraient sans scrupule, mais de la compassion. Il répète avec un sourire, *ce sont de pauvres gens.* Il désamorce par son calme de possibles attaques. Je ne sais pas ce qu'il dit mais il n'use d'aucune force, n'élève pas la voix ; il paraît sans défense, inoffensif. Puis il me prend la main et me reconduit tel un aveugle.

Ablutions des corps noirs et ambrés, des corps minces et musclés, des corps sous-alimentés aussi. La peau se fraye un passage, se découvre drapée de sensualité. Le corps n'est pas caché, il est incontournable, l'accès premier, initial. Un voile que l'on effleure et soulève afin d'atteindre l'autre, être atteint, être écouté, de l'intérieur. Je ne sais pas, j'étais si confus il y a quelques instants. La fatigue rend clairvoyant, l'esprit de mes hôtes est clairement visible : regards noirs de curiosité, de désirs, de fraternité, yeux dans les yeux jusqu'au fond de l'âme ; l'échange est direct, central, immédiat, sans parasite et sans faux-semblant ; l'altérité entière, brutale, souveraine, impudique. Des paroles camouflent-elles un serpent mortel ? Il y a plus de silences que de mots. Mon corps est enveloppé par des mains douces et rondes, *rondes jusque dans l'âme.*

J'aperçois par la fenêtre brisée une tête qui m'observe ; elle fait signe à une autre personne que je ne vois pas et qui entre : ils ont une vingtaine d'années, déterminés, leur objectif est limpide, mes amis ont compris. J'assiste, incapable de réagir, à une protection rapprochée. Sans aucune violence, le premier homme est pris en charge par trois jeunes qui détournent son attention, lui parlent, l'empêchent d'avancer, coupent ses élans, le détourne. L'autre entre à son tour, est encerclé fermement par deux jeunes qui l'accaparent, le dirigent vers les toilettes. Deux compagnons restent à mes côtés, sur le qui-vive. Le premier intrus est reconduit à la sortie, sans faille et sans grabuge malgré ses assauts, je vois son regard noir au-dessus de son épaule. Le second ressort des toilettes entouré de mes camarades et, se retrouvant seul, abandonne, visiblement déçu.

Ce qui aurait pu mal se passer a été accompli sans violence, sans agressivité, avec souplesse, fluidité et fermeté. Mes jeunes amis reviennent en riant, rayonnants et fiers, si beaux. Doux et tendres comme des agneaux, fermes et résolus comme des tigres.

– Yeux. Cils. Nez. Visage. – *Baal, aki, no, mou.* Au commencement, le premier échange ancestral ; à chaque mot prononcé, il touche la partie qu'il nomme, parcourt mon visage et mon corps de ses doigts. – Langue. Il touche ma langue de son index. – Cœur ? – *Dil.* Il touche mon cœur. – *Good heart ?* Bon cœur ? – *Dil low.* – Tu veux dire « poitrine » ? Je lui demande. – *No, Heart !* Il prend ma main et la dépose sur son cœur que je sens battre sous son tee-shirt. – *Dil low*, il répète dans un sourire franc. Bon cœur.

Sa poitrine se tend comme un tambour chaud. Rahul, une émanation sexuelle de canaille, peu de mots, une présence entière, non amputée, une vie immédiate et violente, un *ragazzo* de Pasolini. Son corps, son esprit successivement souillés, lavés, purifiés ; je ne sais pourquoi je vois cela de lui. La vie est délivrée de son être en son ensemble, en une globalité pure et impure, absolue ; Rahul ne dissimule rien, n'est pas dissimulé, son être est accessible, offert, entièrement présent.

Une médaille à son cou représente Shiva, barbu, armé d'un trident, entouré de deux tigres. « Le bon, le gentil, qui apporte le bonheur », il dit. Shiva, le Dieu de la destruction des illusions et de l'ignorance, et à la fois Dieu de la reconstruction d'un nouveau monde.

– *And you ?* – *No god.* – *No god ?* demande-t-il étonné.

Il pose sa main sur ma main, semble vouloir me consoler de n'avoir ni dieux ni protecteurs. Nos mains se caressent, passent l'une sur l'autre, l'une dans la paume de l'autre, sa main mate au creux de la mienne, ma main blanche entre ses mains. De l'autre côté son ami nous regarde en silence et sourit ; sourit de tout son cœur.

Une femme indienne entre, suivie d'un couple de routards hollandais poussiéreux. Ces deux-là me ressemblent, misérables et malmenés. Elle, une pirate tzigane, voilée de couleurs vives, boucles d'oreilles étincelantes, teint mat et œil divergeant. Ses bracelets tintent à chacun de ses mouvements, à chacune de ses paroles déliées et libres. Les deux routards laissent leurs bagages qu'elle surveille, et disparaissent.

I'm Sandy. I'm a angel in the chaos. Nice to meet you. Un ange au milieu du chaos. Les jeunes tentent de faire diversion mais rapidement et avec agilité elle les rassure et les charme, on dirait une sorcière aux pouvoirs maléfiques. – Mes intentions sont bonnes, dit-elle en un rire. Ils te protègent comme une nourrice. Nous rions, mais pour rien au monde je souhaiterais le départ de mes compagnons. – Je comprends, dit-elle gravement. Tu viens d'arriver et tu n'es pas encore arrivé. L'Inde est difficile. Après quelques jours, tu t'y sentiras chez toi. *At home. Home* en anglais, à la fois chez soi, son foyer, sa maison, son pays intérieur, en son cœur, en sécurité. Elle prononce quelques mots de français afin de me divertir, puis elle raconte sa vie de débrouilles et de malheurs de femme seule, divorcée ; elle capte l'attention des hommes. Réticence et méfiance de l'audience qu'elle provoque à voix haute, elle exprime clairement la difficulté d'être une femme hindou dans une société indienne *archaïque* : – La malédiction de naître femme, une réincarnation plus basse que le chien ou que le rat, elle dit. Je sors les gens du gouffre. Avec des gants de soufre, je pense. Les voyageurs ont besoin de moi, pas les touristes. – Comme j'ai besoin de mes camarades. – Oui, ce sont tes anges. Puis soudain, elle ne s'arrête plus de parler, nous abreuve de paroles ininterrompues, elle saoule l'espace et les esprits, ma tête tourne, je ne peux suivre la conversation, pris de lassitude, j'aimerais dormir, éprouve un besoin de calme et de silence. Cherche-t-elle à nous hypnotiser ? Je le lui demande. Elle cesse aussitôt. – Je comprends, reposez-vous.

Et disparaît en un mouvement de voile. *Angel,* dit Rahul en se désignant du doigt.

Selon les Indiens, le réel est *Mâyâ,* une illusion, l'apparence illusoire du monde. Le réel et son illusion, son double. La réalité se loge derrière cette vision ; seul le monde « intérieur », « caché », est tenu pour vrai. Mon interprétation du réel est donc une projection, la mienne, la projection de ce que je crois être ma réalité, une suite d'illusions. En me fiant à ce que je crois comme réel, je me leurre, ma croyance et mes certitudes me trompent et me fourvoient.

Des yeux ronds et noirs me dévisagent, je regarde les yeux ronds et noirs. Le temps se dilate, l'attente n'existe plus. Je pourrais espérer ce train indéfiniment. Je n'espère plus vraiment. Je ne suis plus tout à fait moi-même. Je suis, en ma chair, l'attente.

Sur le quai déserté au soleil, je cherche mon compartiment parmi les dizaines de wagons, une vingtaine, une trentaine. Mes camarades courent afin de prendre les bonnes places près des fenêtres, dans les wagons seconde classe. J'ai réservé une couchette en première. Je ne sais pas à quelle heure j'arriverai, je n'ai pas d'heure et n'ai aucune notion de l'espace, ni de la distance à parcourir, ni de la durée. Rahul et son ami insistent afin de porter mon sac et le portent tour à tour. Nous finissons par trouver mon wagon en tête. Je les rejoindrai plus tard après avoir dormi. Rahul rejoint le groupe, son ami reste et me supplie de l'aider à venir en Europe, il m'implore de lui donner mon adresse et de l'accueillir s'il venait en France. Je lui écris sur un bout de papier et promets. Il me remercie les larmes aux yeux.

Je pense au jeune Indien à qui Pasolini avait donné son adresse lors de son voyage en Inde. Quelques mois après leur rencontre, le jeune Indien sonnait à la porte italienne. Aimerais-je un jour qu'il sonne à ma porte ?

Traversée

Je passe devant un compartiment de quatre lits occupés par les deux voyageurs hollandais que Sandy accompagne, elle m'envoie un signe amical et un *good luck*. Quatre places réservées pour deux Occidentaux. Devant un compartiment que quatre Indiens âgés investissent. Puis celui de deux routards russes puant des pieds, la sueur, l'alcool et la fatigue. Ma couchette individuelle est isolée, de l'autre côté des compartiments. C'est à ce genre de détail que la vie me loge, et qu'elle m'attribue une place différente, au moment où j'en ai besoin. Un rideau épais et sale me sépare des autres. Une allégorie.

Trente-six heures éveillé. Les moteurs ronronnent, le navire sombre.

Les visions surgissent derrière la vitre jaune, des éclairs de maladie et de fièvre, la poussière se dépose. Lueurs de beauté, état de panique et d'horreur. Des chèvres broutent du plastique, une petite fille pieds nus traîne un bébé vêtu d'une robe à fleurs déchirée, elles poursuivent les chevreaux qui gambadent et cabriolent sur un amas d'ordures plus grand qu'un immeuble. L'éclat humain au centre des immondices. La plaie d'une canalisation ouvre une douche communale. Une femme se lave dans son sari. Un jeune homme accroupi attend son tour, en équilibre sur l'énorme canalisation, il regarde le train immobilisé.

Lorsque le sari rouge s'en va avec nonchalance, sans un regard pour nous, le jeune homme prend sa place, enlève son tee-shirt, garde son tissu autour de la taille et le savon mousse du visage aux cheveux, du haut du corps jusqu'aux pieds. Il se rince, crée des gerbes d'eau royales. Sa peau miroite les rayons, le soleil resplendit sur son corps fin d'adolescent. Il se retourne et nous sourit. À qui sourit-il exactement ? La brillance des dents, la rondeur des lèvres et le train redémarre.

Des marécages, des marais, des nuages de moustiques, un zébu tacheté de gris suivi d'un gardien squelettique en blanc immaculé, momie enturbannée et gracile. Des enfants sur un toit de tôle rouillée font des signes en rigolant, d'autres au bord de la voie ne sourient pas, ne semblent pas nous voir, ni le train, ni le danger, yeux injectés de sang, gonflés de colle, petits morts en sursis. Des tissus rouges flottent le long d'un poteau comme un ruban de soie, une blessure traverse le ciel bleu ;

d'autres tissus de couleurs vives sèchent sur les murets de terre rouille.

Je trébuche en mon néant, les monstres et le chaos remontent. Puis ce sentiment de coton, de réparation, appliqué par ces garçons à la gare. Je passe de la plaie ouverte au baume, de l'écorchure vive au cocon, au refuge des êtres. Des paysans, pagnes remontés aux cuisses, travaillent dans un champ à battre une céréale, fléaux de bois en rythme sous un soleil implacable, fronts luisants, moustaches huilées, saillants et secs. Les chiens pouilleux attendent, somnolent à l'ombre.

Puis un cul, un très beau cul d'homme. Une merde tombe. Il se tient à deux mains à une branche et cambre son dos. D'autres culs d'hommes à la chaîne. Une ribambelle de culs de pauvres. Certains détendus, d'autres gênés ; à dix minutes près, ils déféquaient tranquilles.

Bâtiments en construction abandonnés. Bâtiments délabrés en reconstruction. Des centaines d'étais de bois pour des bâtisses qui préfèrent la forêt au béton, la verticale à l'horizontal. Des familles vivent à l'air libre dans un coin d'appartement inachevé, sans mur, les étages en suspens, ouverts sur le ciel comme des bouts de phrases interrompues. Les corbeaux croassent à chaque silence, à chaque arrêt. Des milliers de corbeaux et de pies traversent les nuages, s'accrochent aux branches, aux poteaux, en ligne, serrés les uns contre les autres sur les fils électriques. Trains ouverts au sommet du crâne, passagers en équilibre, libres de contraintes, la tête au vent, auréole spectrale. Saris virevoltants, déesses sortant des taudis suivies de hordes d'enfants hagards, désœuvrés, aux cheveux décolorés, sous-alimentés. Lumineuses et vaillantes mères, vives et douloureuses, égarées.

Moi je, si petit en ma couchette, reste allongé. Si étroit en mon étroitesse, prostré de réalités, je ne bouge pas. Pas un centimètre.

À côté des voies ils dorment, au-dessus d'un muret étroit, en équilibre, au milieu des autres qui travaillent, sur un banc. Deux hommes dorment entrecroisés, tête bêche ; adossé à une chaise, un autre somnole au milieu de la foule ; ils dorment où ils veulent, au centre de la rue, le monde ne les dérange pas puisque le monde c'est eux. De tout petits enfants, démons ou demi-dieux sauvages à demi-nus s'agrippent aux touristes qui courent en bermuda à fleurs et en tongs, chapeau de paille sur la tête, visibles à des kilomètres. Un adolescent allongé sous un escalier ; à l'arrivée du convoi il se lève, mendie aux fenêtres fermées des couchettes de première classe, chassé par les contrôleurs, erre comme une loque, retourne s'allonger, sa maigreur maladive sur un carton, torse nu, pied nus, un pantalon troué et souillé. Une vision de moi malade, abandonné sur un quai de gare.

À l'aide d'une écuelle en inox je me douche dans les toilettes du train. L'eau d'un robinet prévu pour se laver après les besoins naturels à côté du trou brut donnant sur les voies est fraîche et soyeuse. Il y a des eaux rêches, métalliques, des eaux qui vous assèchent le corps, celle-ci est de velours. Je retrouve des gestes anciens de l'enfance, une économie de mouvement, une précision ; je redécouvre un corps oublié par des douches aveugles et automatiques, endormi sous le confort de l'eau abondante et chaude. Avec cette simplicité, parcelle par parcelle, vient une joie enfantine, une joie de pauvreté. Je me lave avec deux litres d'eau, cela provoque en moi un rire étincelant. De cet endroit exigu à la propreté immaculée en fin d'après-midi je sors heureux, prêt à voyager avec les autres.

Un paysage aride défile. La porte du wagon est grande ouverte sur la voie. Il n'y a pas de vitres aux fenêtres. Les ventilateurs renvoient la poussière d'un air moite, agréable. Mes jeunes amis se penchent à tour de rôle au-dehors, le vent brûle en rafales leur visage. Rahul s'accroche aux montants extérieurs, se penche en arrière en riant, il reste ainsi, me regarde dans les yeux à rire, on dirait un démon, un dieu malin qui défie. Il revient à l'intérieur du couloir et se blottit contre moi, me prend entre ses bras, ou plutôt se prend dans mes bras, son visage proche du mien, ses yeux rieurs sur ma bouche.

Un espace vital enterré bouge six pieds sous terre.

L'attention et la tendresse accordées à ce gamin rampant sous nos jambes, qui balaye le couloir pour une roupie, une seule roupie, montre-t-il de sa mine suppliante, de son doigt levé, relié au ciel, à l'injonction des dieux. Ce gamin n'est pas extérieur à ce que je vis. Un regard me fait exister. Il reflète une partie fragmentée de moi-même, une partie misérable qui mendie. Si j'éprouve une compassion immédiate à son égard, je ne peux m'empêcher de penser qu'il en éprouve pour moi, misérable à ses yeux qui ne lui accorde que la roupie qu'il demande. Frère de ceux qui sont présents, d'autres facettes de mon être, ils se révèlent. Rien de plus, mais c'est une révolution intime. Lorsque je les sens si proches, si accessibles, quels qu'ils soient, je ne dois pas leur paraître étranger. Moi qui paraît étranger à moi-même.

Dans la grande histoire de l'Inde ancienne, du *Mahâbhârata*, Yudhishthira, le roi renonçant qu'un chien accompagne tout au long de sa route arrive au bout du chemin de sa vie. Brahma, le créateur et son père, lui envoie une échelle afin d'atteindre la dernière étape, la porte du paradis, le Nirvana : « Laisse ce chien et entre », ordonne Brahma. Yudhishthira lui répond : « Abandonner une créature qui

m'aime, qui est seule et sans défense, jamais.
Je vais rester là, dans le vent glacial, avec ce
chien. – Entre, lui dit la voix. Ce chien est
une autre forme de Dharma, une réincarnation de ton père Brahma. » Une mise à
l'épreuve que de se révéler devant l'ultime
étape.

Rien ne peut être ce qu'il est, ce qu'il est
seulement. Cela ne suffit pas à la vie, cela ne
suffit à personne. Seules la bonté et la poésie
de l'existence nous comblent. Le manque déli-
mite notre être. Ici, je le reconnais, en chacun.
Je me considérais comme un héros sacré et
intouchable ; j'étais aimé des dieux. Depuis la
mort du frère, je crois que la vie me doit
quelque chose. Comme si la vie me devait ce
que je n'ai plus, ce que j'ai perdu. Comme si
la vie me devait la vie.

Une main d'homme traverse le rideau qui
me sépare du couloir, caresse furtivement mon
ventre, mon torse. Une chemise à carreaux
s'échappe à la lumière des néons. Deux yeux
noirs brillent dans l'obscurité, un cobra est
enroulé à mes pieds et me fixe.

J'ai trouvé une chambre au bord de l'océan,
loin de toute civilisation. Les chiens y règnent
la nuit ; ils prennent d'assaut le royaume ; ils
errent sales et impérieux en bande, exigent le

silence, l'immobilité du monde : ils assurent l'insécurité, nervis de gangs violents, mieux vaut n'être qu'une ombre et passer inaperçu. J'avance accroupi, le visage dans le sable, à plat ventre parmi les geckos et les mille-pattes. Les molosses grognent à quelques mètres, imposent leur loi. Je saisis une pierre afin de les intimider, ils ne réagissent pas, ils font face, menacent, prêts au combat. Je ne les fixe plus, je m'abstrais mentalement de la situation. Le vent de la mer frôle ma poitrine, mes bras, chasse de mon crâne les décombres et les lourdeurs, entre en mes narines, nourrit mon corps. Entre le chant des tarentes accrochées aux murs, j'entends les chiens terroriser la nuit.

L'air nocturne s'est transformé en une moiteur délicieuse, des reflets dorés luisent le long des feuilles fluorescentes des palmiers. Les noix des cocotiers sont lâchées comme des obus sur le sol, lourdes et meurtrières. Puis le silence implose. Un bruit sec de pierres ricoche contre la tôle et frappe un corps, le jappement d'un chien touché ; aux hommes de dominer le jour. Le battement des ailes des corbeaux rythment la journée. Les corbeaux d'Edgar Poe et ceux de François Villon réunis, *plus becquetez d'oiseaulx que dez à couldre*. Le cri des déserts, de la solitude et de la mort. Du sacré.

Je nage proche de la rive, déporté par les courants vers le large. Je suis seul à me baigner. Un maître-nageur frêle me surveille. Il précise ne pas savoir nager.

Les profondeurs des fosses de Mumbay resurgissent en vagues. Des lames de rasoirs ont été plantées à l'intérieur de mon cerveau, on a recousu mon crâne en les oubliant.

Je mange du poisson frais, je lis l'autobiographie de Gandhi, je marche au bord de la mer d'Oman, l'air salé lave mes angoisses. En convalescence. La solitude me réconforte. Je fuis les bruyants, les bavards, les touristes et les voyageurs malins qui cherchent un contact de compatriotes complices. Les Indiens restent silencieux à côté de mon silence.

« Le tourisme est une industrie qui consiste à transporter des gens qui seraient mieux chez eux, vers des endroits qui seraient mieux sans eux », a écrit justement Philippe Meyer.

Tariq, le jeune serveur, est déconcerté ; il travaille depuis peu dans ce restaurant touristique de bord de mer. Décontenancé devant tant de grossièreté et de vulgarité, d'arrogance et de manque de respect, il ne sait si je suis représentatif des Européens ou si eux le sont.

— Ils sont « comme ça » chez toi ? demande-t-il.

Il ne se passe rien. Il n'y a rien à visiter, ou si peu. Je lave ce qui me reste d'Europe. Les fêlures s'ouvrent avec le sel, rongent, triturent les plaies que je pensais guéries. Devenir attentif à l'insignifiant, c'est la vie attentive au présent et l'univers au centre de l'attention, en soi.

Un mendiant estropié claudique péniblement entre les brochettes de crevettes rougies sur les transats, le ventre distendu par la graisse, la bière chaude et le cerveau cuit. Sa jambe rachitique ondule sous les nez comme un serpent mort. Après avoir marqué au fer rouge les esprits, l'infirme repart quelques roupies en poche vers la plage suivante. Certains touristes s'enfuient à son approche. L'après-midi est chaude, ils reviendront.

Tariq m'appelle lorsque les autres s'absentent ; il me réserve une table loin de tous. Je le vois huiler ses cheveux, se recoiffer avec soin devant un bout de miroir accroché à un cocotier. Il change de maillot pour un maillot aussi pauvre et troué mais propre ; dents blanches, lumineux de bonté dans la nuit alcoolisée des touristes. Une présence suffit.

Les Indiens font un même signe de tête pour dire « oui », « non », « peut-être », « entendu », « d'accord », « pas sûr », « je ne sais pas », « certainement pas ». Un léger hochement de tête qui part à la base de la nuque. Tout est dans l'expression du visage, du regard, dans l'intention précise qui n'est pas nécessairement confirmée par la parole. Mon intention lorsqu'elle est précise, est comprise sans être exprimée. Un voile de croyance, de convictions et de certitudes se déchire. Je pénètre une autre réalité, nu. En réalité, à travers ces non-dits et ces silences, l'Inde me dévoile.

Un sable épais craque comme la neige de mon pays. Les chiens se roulent, se grattent, défèquent dedans. Le sable où s'allongent les touristes. Un Allemand d'une soixantaine d'années, en short et torse nu, erre sur la plage avec sa guitare ; il chante approximativement des chansons connues aux touristes en échange d'un peu de monnaie, d'un repas, d'une bière. Il mélange les langues qu'il connaît, de l'allemand à l'anglais, de l'hindi au français. Il semble égaré, un peu fou, heureux.

À force de malmener les barrières mentales, l'Inde ronge l'esprit des étrangers. Elle semble harmoniser les fous et déséquilibrer les obsédés de la normalité. Les fêlés s'y sentent chez eux, les « normaupathes » abandonnent tout but, détruisent leurs papiers d'identité, tout ancien contact et se jettent dans le chaos du cosmos : on appelle cela le syndrome de l'Inde.

Le seul pays où le consulat de France est doté d'un service psychiatrique.

Habillés d'un pagne, Jamil et Alexandre divaguent sur la plage. Ils ont vingt ans, d'une beauté fraîche et folle ; ils fument du haschisch, mangent peu, ne boivent pas, ne se lavent pas ou dans la mer. Ils cherchent la maison qu'ils ont louée depuis deux jours et ne la retrouvent pas, ce qui les fait éclater de rire. Ils dorment dehors depuis, mangent ce qu'on leur donne. Ils sont heureux ainsi, libres, ils scellent avec le monde un pacte de bienveillance pour les années à venir.

La circulation s'improvise autour des vaches. Elles ressemblent à des bouts de cartons, à des squelettes de vaches qu'il faut éviter. Elles broutent ce qu'elles trouvent, bouteilles en plastique, sacs en papier, tuyaux en caoutchouc, fils électriques, journaux, elles recyclent. Les cochons mangent la merde des vaches et leur disputent les détritus. Les poules picorent les restes. Les chiens occupent l'ombre et mangent les cadavres des chiens. Les squelettes sont becquetés par les pies et les corbeaux. La putréfaction prend en otage, elle hypnotise l'esprit. L'odeur de nos civilisations lorsque la mort rôdait au centre de la vie quotidienne.

L'Inde ressemble à une immense décharge sans norme d'hygiène ni de sécurité, où les hommes et les femmes tombent amoureux, font des enfants, travaillent, deviennent malades et meurent plus rapidement qu'ailleurs.

Les corbeaux ont rendu l'espace désert le long du village de Tariq. Des failles de silence. Chaque gouffre est submergé de leur mélopée sinistre. Un mélange de pourri, de délabré et de vie extrême et intense, une atmosphère cruelle, sanguine. Des petits tas d'ordures se consument le long de la route, le goudron moelleux fond sous la température et charge l'air de l'âcreté du pétrole cuit. Le paysage apparaît puis disparaît au travers des nuages de pollution des camions, des voitures, des motos, des autobus. La réalité empeste les gaz d'échappement. Elle empoisonne.

L'unique hôtel dont je suis l'unique client s'appelle « la cigale » en français. Un serveur est « détaché » afin de s'occuper de ma personne ; quoi qu'il arrive, quoi que je demande, je devrais me référer au jeune Dominique, dit le patron. Dominique flotte dans son uniforme bleu à liserés noirs et tente de porter mon sac jusqu'à la chambre. Le voyant peiner, je finis par porter mon sac.

— *Thank you*, dit-il en s'essuyant le front. Il ouvre la porte de la chambre : – Il n'y a pas de souris, et pas d'araignées. Nous observons tous les deux des cafards gros comme des rats courir le long de la salle de bains, surfer sur le carrelage et se réfugier dans les recoins. – Secouez vos sandales avant de mettre les pieds dedans, précise Dominique. – Grimpent-ils sur les murs ?

– Dans la salle de bain, non. – Dans la chambre ? – Je ne sais pas. Ils sont gentils.

J'attrape un forcené qui gigote et pousse un chuintement étrange censé m'effrayer, et propulse sur ma main une traînée noire épaisse qui empeste et m'écœure. L'odeur tenace s'accroche au savon. Dominique a disparu.

Le ventilateur renvoie l'air chaud et la poussière. Je ne sais pas si j'ai plus chaud avec ou sans. Sans j'étouffe. Avec je respire un air piquant et dense. Depuis que je suis arrivé dans ce pays, je ne pense qu'à repartir.

J'aimerais me reposer quelques jours, avoir des amis, me sentir bien. Je rêve d'un corps étranger à mes côtés.

Les synonymes ne manquent pas, je me sens fourvoyé, oublié, troublé, fichu, fini, inutile, abandonné, dépeuplé, désert, déserté, désolé, éloigné, isolé, abîmé, pourri, confondu, corrompu, déconcerté, déconfit, décontenancé, désarçonné ; j'ai disparu. Tout mon vocabulaire disparaît lui aussi. Bientôt je n'aurai plus aucun mot, aucune pensée.

Mon esprit se dégrade, mon identité se gâte, fruits pourris, nécrosés par la chaleur. Dès que je « veux » quelque chose, je suis certain d'avoir en réponse un hochement de tête imprécis. Si j'insiste gentiment, ceux à qui je m'adresse se détournent, vaquent à d'autres occupations, blasés de ma présence. Lorsque j'insiste fermement afin d'obtenir une réponse, on contourne ma demande avec nonchalance, on me trouve malpoli, on me laisse suspendu au-dessus du vide, sans aucun renseignement, livré à l'inconnu. Lorsque je demande à quelle heure passe le bus, *il passera vers telle heure.* Si je pose deux fois la même question, j'ai deux réponses différentes. Si je demande encore une fois, *il passera demain, mais ce n'est pas sûr.* Plus j'attends quelque chose et moins il se passe quelque chose ; j'attends malgré moi désespérément ; je nourris une frustration de plus en plus grande ; je me fatigue de moi-même.

La nuit l'odeur des détritus carbonisés envahit la chambre et réduit mon oxygène. Je n'arrive plus à respirer. Les cafards seraient un réconfort s'ils ne faisaient pas autant de bruits et ne grimpaient pas sur les draps. Ils parcourent mon corps comme une piste de jeu. Un Occidental normalement élevé à la javel les écraserait sans remords, aurait changé d'hôtel ou de chambres. Je reste à les observer bonnement et les repousse sur le sol carrelé. Ma volonté est mise hors d'atteinte. Hors de me nuire.

L'attention solaire de Dominique à vouloir faire de son mieux me touche. Un sourire l'illumine lorsqu'il anticipe ma demande. En revanche, il est incapable de me donner le moindre renseignement et refuse d'avoir une discussion, peut-être lui interdit-on. Il reste le plus souvent à mes côtés, en silence. Lorsque je lui pose une question : *Où se trouve une échoppe ? Quel âge a-t-il ?* il soulève ses épaules et remue sa tête avec un léger sourire figé. Je me demande s'il comprend l'anglais ou s'il n'est pas simplet. Nous formons un couple inséparable. Lorsque je commande un plat, il dit *yes, yes* et suggère autre chose. Si je commande des pâtes aux légumes, il propose du riz, si je change d'avis et commande du riz, *yes, yes,* il propose des légumes. Si je lui laisse le champ libre et lui fais entièrement confiance, il revient avec un plat délicieux. Si je commande à nouveau ce plat délicieux, il fait une moue qui suggère que ce n'est pas vraiment une bonne idée. Si je lui demande *c'est parce qu'il n'y en a plus ?* il répond *yes, yes,* peu convaincu par sa réponse. Si j'insiste, même légèrement, il me répond *vous êtes sûr ?* qui me fait immédiatement douter. Lorsque je le laisse décider seul, il doute, et dit que c'est à moi de choisir. Je décide donc en premier, et *yes, yes,* le laisse au final choisir. Question de confiance.

Un vieux passeur exige une somme abusive afin de me faire traverser le bras de la rivière en pirogue et rejoindre le banc de sable et la mer. Vingt mètres d'un chenal profond, trois fois plus chers que mon billet de train. Il me faudrait prendre à pied la longue route sinueuse. Je me balade du côté des égouts et des chiennes aux petits accrochés aux mamelles. Un buffle puissant attaché court à un cocotier souffle de plus en plus fort à mon approche, prêt au combat, son œil torve, sa corne imposante se penche comme une invitation à la défiance. Une femme porte une jarre en terre en équilibre sur la tête, et me chasse d'un geste de la main. Mes pieds foulent le sol poudreux d'une cendre rouge. Des bateaux de pêche attendent d'être repeints et remis en état, échoués comme des baleines mortes. La mer s'est retirée d'une fournaise rouillée. Les maisons rongées par le sel, anciens hôtels abandonnés et bâtisses délabrées, grouillent d'enfants aux morves sèches et aux pieds nus ; certains effrayés par ma présence pleurent. Des femmes tannent des peaux usant de bassines usées ; l'odeur de cuir et de viandes putrides a envahi le paysage ; les femmes se voilent à mon passage ; les regards sont méfiants ; on dirait un sanctuaire interdit.

Des hommes poussent une pirogue sur le sable de sang séché jusqu'à la rive. Sans leur demander, je me joins à eux. Un homme sourit, les autres m'observent comme si j'avais transgressé un tabou.

Ce sont des « intouchables », des hors-castes, des parias. *Les enfants de dieux*, comme les appelaient Gandhi.

J'ai mis dix jours à atterrir.

À la fois désespéré et captivé par ce pays, aimanté par son étrange harmonie, écœuré par la cruauté qui règne continuellement. Un composé envoûtant de laideur et de beauté, un charme hypnotique. Ce qui pourrait être somptueux est rongé par les déchets, enfumé de brouillard puant, infesté de rats, noyé dans un brouhaha, un maelström indescriptible, à ne plus s'entendre penser, à ne plus pouvoir regarder. Ce qui est laid, détruit, repoussant, envahi d'ordures et de cadavres est tout à coup transcendé par des odeurs d'épices et de fleurs écarlates, par un rayon de soleil flamboyant, par le sourire exalté d'un Autre qui s'ouvre à vous.

Je n'arrive plus à résister. Je me surprends à engager facilement la conversation, comme si une part de moi appelait à l'aide. Je suis vivant avec ce que je suis, dépossédé de tout.

Un aveugle chante à tue-tête une chanson triste. Mon âme ravie est emportée par la mélodie que le vent balaye. Une vieille femme voilée de blanc lit un livre défait par le temps, assise sur un banc de bois. À mon passage, elle lève les yeux, sourit si tendrement qu'elle me ramène sur terre.

Une femme des rues porte son enfant dans les bras, elle me voit et traverse la route imprudemment. Elle désigne son bébé enveloppé ; un camion souffle un nuage de poussière pourpre et dégage le tissu : une tête difforme de petit lézard remue. La mère découvre la tête de l'enfant avec soin, lui caresse le crâne ; repoussant et fascinant. Je reste muet. Après mon aumône, la femme murmure un mantra, une bénédiction ; *que les dieux m'accompagnent.* Puis elle me touche le front de sa main meurtrie.

Ma souffrance est multipliée par mon inutilité, par mon impuissance. La souffrance rend égoïste. Pourquoi suis-je venu ? Pourquoi voyager dans un pays auquel je ne peux rien apporter, avec lequel je me sens si mal, si honteux ? Un mois de smic français ferait vivre un village pendant une année. Je ne pense qu'à mon bien-être, à mon confort, à mon plaisir. Je ne peux m'empêcher de ressentir un sentiment de honte qui me ronge. Honte de ce que je suis venu faire, jouir de mon temps, découvrir un pays, une autre civilisation, confirmer un rêve. Honte de ce que je représente, de ce que je pense. Honte d'être un Occidental aussi vain et désespéré.

Un chemin hors de la circulation s'enfonce sous les manguiers ; des fleurs naïves de poudres multicolores dessinées au sol ; des enfants sourient, courent puis disparaissent en des envolées de moineaux. Une femme tresse des colliers de fleurs ; l'espace embaume l'odeur sucrée ; elle pince chaque fleur entre ses doigts avec délicatesse, agilité et rapidité, la lie aux autres fleurs tout en souriant et en parlant avec ses voisines ; elles rient de ma curiosité. Mon esprit est bercé de mélancolie ; on dirait l'odeur de l'enfance, l'odeur d'un corps chaud qui manque. Un homme repeint en bleu indigo les volets de bois d'une maison aux murs délabrés. Le soleil traverse les branches des manguiers, illumine le village de touches vives. Le chemin est balayé par une vieille, une autre la suit avec un seau d'eau et humidifie la poussière. Les chiens sont détendus sur les perrons de terre battue, certains relèvent la tête avant de la laisser retomber dans un souffle, d'autres se contentent de soulever un sourcil. Les visages sont radieux, calmes ; hommes, femmes, enfants, animaux semblent avoir trouvé un équilibre avec la nature. Je n'entends plus la circulation, je ne suis plus absorbé par mes pensées ; j'enlève mes sandales et marche pieds nus. Je n'ai jamais éprouvé cet apaisement, cette sensation de sécurité au milieu des autres. J'ai l'impression de vagabonder en un rêve silencieux, aux contours clairs, chaque molécule est inscrite à sa place. Une petit fille marche à peine, elle m'apporte en vacillant une pâtisserie sucrée ; yeux noirs dessinés de khôl, point rouge sur son petit front cuivré. J'aimerais prendre cette enfant dans mes bras mais je n'ose pas. Son frère à peine plus âgé nous rejoint ; on se regarde en silence, on se regarde vraiment, longtemps, immobile. Je suis un des leurs, au-delà de mon identité. On dirait une famille.

Les cafards m'attendent sur les draps propres ; je prends une douche à la lumière du néon. Le soleil se couche sur la terrasse. Dominique guette ma venue au dîner, *I was waiting you all the day*. Je t'ai attendu tout le jour. Je n'ai pas déjeuné. Sans que je commande quoi que ce soit, Dominique sert un plat délicieux d'épices, décoré d'une fleur de safran. Tous les deux silencieux. Les bateaux de pêcheurs naviguent lentement ; des guirlandes de couleur crème accrochées à leurs mâts illuminent les coques et ondoient sur un air léger de chansons d'amour. Le soleil rougeoie, une chienne dort sous la table, les mamelles pleines de lait ; debout, Dominique a ouvert deux boutons de son uniforme et laisse luire sa peau nue et noire.

Comme un pot sans cul, disent les Indiens. Ballotté entre le désir de poursuivre et celui de partir, je passe de sentiments de tendresse et de compassion à des sentiments de haine, de colère, de honte et de rejet, de sentiments de paix profondes à ceux d'une insécurité absolue. Je ressens la nécessité de rester, une intuition tranchante, ancrée, alors que tout me pousse à fuir. *Les premiers jours sont difficiles*, avait dit Sandy, *ensuite le voyage commencera.*

Les Indiens ont fendu mon armure, ont créé une faille dans la carapace ; *le réel n'est pas ce que tu vois*, confirment-ils d'un sourire. Leur âme sourit au chaos. À ce sourire, je n'arrive pas à tourner le dos.

La chaleur de métal consume les cocotiers secoués par les vents marins. La terre est une croûte de soufre volcanique qui assèche l'air. Une couleur sang apparaît à la surface du sol, une fumée blanchâtre s'en évapore. Une immense plaie apparaît. Le bleu pâle du ciel reflète une luminosité agressive. Les rapaces tournoient autour de ma tête, je ne suis pas mort, pas encore. Le vent apporte l'oxygène ; dès qu'il s'interrompt, l'air devient irrespirable. L'ombre n'est d'aucun réconfort. La mer semble s'immobiliser puis surgit en bourrasques et frappe la côte sans relâche. L'hostilité du climat forge l'esprit indien, il l'assouplit. Je ne croise personne. Aucun bateau à l'horizon.

Je retrouve le village sous les manguiers ; les fleurs peintes ont disparues, le lieu est déserté ; des sacs en plastique volent, des colliers de fleurs fanés. Les chiens et la joie sont absents. Le chemin a été goudronné. Bientôt les voitures et la télévision. La fête est finie.

Quelque chose de notre humanité a été altérée. Un souvenir du bonheur d'être nous sans limite. Comment étions-nous lorsque nous étions humains ?

Je paye au vieux passeur les seize roupies qu'il demande pour un aller, alors que la traversée se monnaye à trois roupies l'aller-retour. Il frappe son front de sa main et secoue la tête : il réalise qu'il a confondu *sixteen* avec *sixty*. Seize roupies au lieu des soixante qu'il voulait. Il se morfond dans sa barque. Je lui dis que seize, c'est toujours mieux qu'un et demi.

Les poissons en décomposition sèchent à l'air libre. L'odeur du futur nuoc-mâm est répugnante, aigre de la putréfaction des petits cadavres, elle attaque le cerveau. Chaque lampée acide est un supplice ; en inspirant, j'ai l'impression de rejoindre les vers. Les travailleurs chargés de paniers remplis de poissons secs, hommes et femmes, semblent y être habitués. Sans cette vision apocalyptique, l'odeur est intenable. De l'autre côté, une rafale de vent nettoie la mémoire de la puanteur.

Je longe la côte, me baigne près de l'estuaire, porté par les courants marins vigoureux. L'océan réveille mes angoisses, je dérive quelques centaines de mètres plus loin. Je comprends mon erreur, je m'épuise à nager à contresens.

Émergeant de la brume marine au loin, une hallucination d'attractions, de voiles multicolores, de scooters des mers, de shorts et de taches rouges secouées par un son grave de grosses caisses : la combustion des touristes.

Une gargote propose quelques plats ; deux tables sous une tonnelle de canisse. Le sable crisse et grille la plante des pieds. Le vent gonfle mes poumons comme des voiles de bateaux. Une baraque de feuilles de bananiers tressées, la cuisinière aux fesses imposantes sourit, accroupie dans l'ombre, elle souffle sur les charbons rouges d'un réchaud. Le patron lit son journal, les doigts de pieds en éventail. Je suis le client. Le serveur est un jeune homme du Rajasthan, mince, la peau caramel, une moustache finement taillée assortie à son visage anguleux ; ses cheveux coiffés en arrière forment un porc-épic qui se recroqueville sur son crâne. Son regard noir profond, perçant, abrupt. Il règle un transistor piqué d'une fourchette tordue et capte : *It s a wonderful world, Fly me to the Moon...* Nous sourions. Le confort sonore et la rondeur sucrée ne contrastent pas avec la simplicité du lieu, mais la renforcent. *Moon river* rend le paysage velouté, le temps insouciant, sans aucune menace. Aucun de nous ne bouge, ni ne parle, le patron a cessé de lire son journal, il lève les yeux sur l'horizon derrière ses lunettes, il écoute, absorbé. – Tout est délicieux, dit le serveur.

La presqu'île s'étend sur des kilomètres de sable avant de rejoindre le continent. Le passeur se lève droit dans sa barque dès qu'il me voit. Au même instant, le serveur de la gargote s'arrête à moto. – Que fais-tu ? dit-il. Le vieux se rassoit.

Nous roulons à l'ombre des palmiers et des cocotiers qui ondulent, l'air chaud salé est chargé de l'odeur de coco. Sa peau douce et sensuelle, sa nuque satinée luit, le soleil s'y reflète. Ses cheveux effleurent mon visage. Ma main hésite tantôt sur son épaule maigre, tantôt sur sa hanche fine. Il saisit mon autre main sur mon genou et la plaque sans hésiter à sa hanche. Nous échangeons des banalités qui n'ont plus rien de banales ; j'approche ma bouche de son oreille que j'effleure de mes lèvres ; il tourne sa tête et son haleine sucrée entre en mes narines ; ses lèvres brunes dessinées ; la blancheur de ses dents où se reflète le soleil ; sa langue rose tendre se dévoile. Mon corps contre son corps. Une autre odeur de l'Inde dont je tombe amoureux.

Nous passons le fleuve sur une barge qui pue le mazout et fait un boucan d'enfer. Nous restons proches afin de nous entendre, nos corps se frôlent, l'un en face de l'autre. Son odeur se mêle à l'odeur du bateau métallique, si écœurante de fioul. Il raconte sa venue au Kérala, l'opportunité de gagner un peu d'argent et de survivre.

– La vie est plus douce ici que partout ailleurs. Au Rajasthan, on meurt de faim. Voilà
une différence, dit-il. Il vit seul, partage une
chambre avec quelqu'un qui n'est pas son ami,
et n'a plus de famille. Personne en Inde n'est
seul, dit-il. Il aimerait ouvrir un petit
commerce dans quelques années, il économise
cent roupies par mois grâce au restaurant. J'ai
payé mon plat soixante roupies. Je paye ma
chambre quatre cents roupies la nuit. Je pense
à la douceur de ma vie en comparaison de la
sienne.

Nous arrivons à une intersection ; il doit
tourner à gauche, moi à droite. Je trouverai
un bus ; il s'arrête à un abri, interroge les gens
et repart.

– Je te raccompagne à ton hôtel, il n'y a
pas de bus aujourd'hui.

Le chemin est long et agréable. Je me blottis
contre lui. Nous zigzaguons avec agilité entre
les camions, les voitures, les autres motos ; il
évite les nids de poules, les vraies poules, les
vaches molles et les taxis qui foncent à tom-
beau ouvert dans la poussière ocre et les
klaxons. Il traverse l'enfer d'un cœur léger.

À l'entrée de l'hôtel, je le remercie, voudrais
l'aider, mets ma main à ma poche, il interrompt mon geste en posant sa main sur la
mienne.

– Non, dit-il en un hochement de tête, je
ne veux rien. – Tu as roulé longtemps, ton

temps de repos, tu as dépensé de l'essence, laisse-moi t'aider. – Je suis content d'avoir passé ce temps avec toi, dit-il en souriant pour la première fois. – Au moins pour ton projet.

Puis je crains de le mettre mal à l'aise en insistant.

– Merci, dit-il. Ç'a été un plaisir... d'être avec toi.

Un signe de la main, un sourire tendre, il disparaît.

Je pourrais rester et le revoir, l'aider une autre fois. Mais non, bien sûr que non. Je vais partir et je ne reviendrai pas.

Une digue cède en moi. Un fleuve de larmes s'écoule. Je rase mes cheveux, les dépose au centre d'un papier plié en bateau sur lequel j'écris des vœux et que je lance de la mangrove.

Le sel stagne au fond de l'eau, devient invisible et se dissout. Ce pays me dilue comme du sel. Tout ce que je tente de construire est démenti par la réalité.

Se laisser dériver, accepter d'être déporté, aspiré et rejeté par les lames de fond. Ne pas lutter. Surtout ne pas lutter contre les courants, on ne lutte que contre soi-même. J'aimerais avoir confiance en *ma* vie.

– Notre désir est notre pire ennemi, dit le vieil homme avec qui je discute chaque jour à l'échoppe. Une partie de son visage est celle d'un homme, l'autre celle d'une vieille femme. Nous n'avons pas parlé de mon être qui rugit et se débat comme un cheval maladroit. Il me conseille d'aller explorer les ruines d'un fort portugais.

— Il n'y a rien. Ni personne. Tu y trouveras beaucoup.

Le bus traverse une contrée désertique de hauts plateaux arides. Il n'y a ni buisson, ni arbre ; pas de villages, aucun paysan ; la terre volcanique délaissée. Le bus s'arrête au milieu de nulle part, une passagère monte, chargée d'un ballot coloré. Nous cahotons jusqu'à être éjectés de nos sièges. Le bus vire sur la droite ; une route rectiligne mène à une ruine, quelques maisons éparses au pied d'une colline pelée et stérile. Le moteur s'arrête, le chauffeur descend au bar du coin sans un mot.

L'espace est encerclé par les ruines d'une ancienne forteresse portugaise qui servit de prison, surplombant la mer. Aucun reste des bâtiments, sinon ceux de l'enceinte ; un vide fortifié. Seul avec les busards, les rapaces, les oiseaux bleus, les perruches, les papillons rouges et noirs virevoltent autour de ma tête. Un macaque, puis deux, trois, une colonie entière s'évade à travers les arbres à flanc de falaise. La trace blanche des dauphins à la surface de l'eau. La roche est violente, hostile, l'air incendié. J'imagine serpents, mille-pattes

et araignées, dangers de mort et maladies. Je
n'ai pas d'eau. La chaleur traverse mon corps,
renvoyée et décuplée par la roche noire.
Chaque insecte attire mon attention, chaque
sifflement, bruissement, battement de vie
alerte mon esprit. Pas après pas, le plus discrètement possible, la dévastation du temps.
Combien de temps survivrais-je piqué ou
mordu ? Cinq minutes, dix minutes, une
heure ? Je fouille et ne trouve aucun signe de
danger, aucun présage de disparition. Les
papillons blancs aux liserés jaunes détournent
mon attention, la rendent légère ; ils me sui-
vent, me précèdent, forment un halo d'inno-
cence et de gaieté. La soif a asséché ma gorge.
La peur surtout. Je déglutis le peu de salive.
Qu'est-ce que ma vie sinon franchir ce désert ?

Je trouve la fraîcheur à l'intérieur d'une cha-
pelle chrétienne près de l'entrée. Je m'allonge
torse nu à plat ventre sur les dalles de pierres,
mon front où bat mon cœur sur la pierre. La
circulation sanguine ralentit. Je lape la pierre
comme un chien.

Cette poignée à laquelle tous s'accrochent,
lépreux, mendiants et malades, je m'y
accroche. J'en prends conscience lorsque mes
doigts tripotent ma bouche.
Je vais de village en village, presque toujours
le même village identique. Un éternel surplace.

Les voyageurs flottent, la présence d'un étranger les invite à s'arrêter, à engager la conversation, à redevenir présent : quel est mon métier, mon pays, mon nom, ma religion ? Un flux circule, un lien invisible les relie : un respect et une crainte des castes, des religions, des classes sociales. Les frontières nous excluent autant qu'elles nous protègent, menaçantes jusqu'à la mort pour les intouchables et les hors-castes. Liberté d'être l'étranger, joie passagère d'être ignorant.

Une hijra mendie parmi les voyageurs. Ni homme ni femme, habillée en princesse des *Mille et Une Nuits*, elle claque des mains devant celui qui devra lui faire l'aumône, souvent un joli garçon. Elle menace de jeter un sort s'il ne le fait pas, elle l'humilie et le ridiculise s'il est idiot. Elle peut maudire et bénir ; crainte et moquée, elle possède des pouvoirs de malédictions et de bénédictions.

Elle m'ignore et claque des mains devant mes compagnons de voyage qui s'empressent de lui donner quelques roupies, puis ils se moquent gentiment d'elle à son départ.

Aux regards froids et distants, je souris. Je ne suis qu'une illusion qui sourit, vision d'un rêve. Un rayon de soleil sur mon visage les touchent et les renseignent mieux que je ne pourrais le faire. Une attitude de calme, de patience, de silence, un sourire dans la cohue sont reconnus comme des bienfaits, des signes

de sagesse. Les Indiens fuient les comporte-
ments grossiers et l'arrogance des Occidentaux ; ils se détournent des esprits vulgaires,
peu respectueux et bruyants, obtus et exi-
geants. Ils reconnaissent en chacun le manque,
la douleur, l'humilité et la simplicité partagée ;
ils communient dans la fraternité, la délicatesse de vivre et de vivre ensemble. Je me sens
en sécurité avec eux, c'est un sentiment nouveau, un sentiment de paix profonde et de joie.
Je sais qu'un faux pas est condamné par tous et
que la foule écrase les écarts. La marge est à la
fois une protection et une condamnation.

Ce n'est pas un pays. Ce n'est pas un
voyage. Cette terre est une personne, une
entité incarnée.

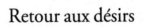

Retour aux désirs

Sur le quai bondé, deux jeunes hommes se prennent dans les bras, par les hanches, s'enlacent, s'embrassent les mains, le cou ; les relations entre garçons sont tendres, pleines de jeux de séduction et de caresses avant le mariage, leurs complicités passent inaperçues. Quand l'un ouvre le bouton de la chemise de l'autre et passe sa main sur son ventre, leurs réactions de trouble les trahissent. Croisant leurs regards, je comprends qu'ils sont amoureux. Pour les Indiens autour, ce sont de jeunes amis qui s'amusent.

Durant le trajet, le plus grand se tient à la porte sur le marchepied, l'autre somnole, la tête ballottant. Nous n'avons pas besoin de nous exprimer pour nous reconnaître : « Je voudrais l'embrasser au milieu des autres, je me retiens. Nous devons faire attention. » Ils sont tous les deux très beaux, élégants, dotés de chemises blanches immaculées. La vie semble les caresser avec délicatesse et attention, avec discrétion. Aucune honte ni revendication, aucune souffrance non plus, ils sont ce qu'ils sont. Je lui demande ce que les Indiens pensent de deux hommes qui s'aiment : « C'est notre karma. Que peuvent-ils faire contre le Dharma ? À l'encontre de l'Amour ? L'Inde est immense. Il y a de la place pour tous. »

Le temple dédié à Shiva est illuminé de petites bougies scintillant au cœur de la nuit. Un bassin carré est creusé en profondeur, entouré de lumières et de marches de pierre, il porte la promesse et les vœux de compassion d'un univers qui nous consolera des hommes. Dès que le soleil se couche, les ombres frôlent la lueur des bougies et des ampoules nues, les flammes des prières et des vœux dansent à la surface de l'eau, ondulent gracieusement, se cognent les unes aux autres, se rejoignent sur les visages. Les yeux luisent de ferveur et d'espoir, les mains sont jointes, les cœurs serrés battent. Certains tournent sur eux-mêmes plusieurs fois, d'autres se signent à la façon des chrétiens, des hindous ; d'autres ont d'étranges signes de dévotions, effectuent des rites chargés de profonde transe. Prier semble être une parenthèse de paix et de liberté, une réconciliation avec soi-même, un retour à la solitude. La mélancolie des flammes caressent l'eau, les éléments opposés se frôlent et se tolèrent, jusqu'à s'unir ; le feu est soutenu par l'eau, l'eau porte le feu sans l'éteindre. Les animaux et les hommes réunis ensembles au cœur de la nuit. Les hommes et les femmes, seuls et unis.

Sur une civière à bout de bras un cadavre est transporté au pas de course par deux hommes pieds nus. Le visage et les pieds du mort sont découverts ; le corps enveloppé d'un drap blanc rayonne de colliers de fleurs. Les morts parmi les vivants, ensemble.

De jeunes hommes sentant l'alcool m'invitent à passer la soirée avec eux. Est-ce par ce que nous voyageons seuls que nous inspirons autant d'attention et de compassion ? Une gorgée me coupe les jambes, je les quitte trébuchant, vais me coucher face à la mer parmi les vivants et les morts.

La nuit indienne révèle le territoire, sa substance irréelle, son envoûtement, sa perception la plus intérieure, la plus intime, ce qu'il est au creux de sa réalité, en dedans, charmant et ensorcelant, désarmant. La nuit indienne est plus qu'une nuit, elle est un rêve, un sas singulier, une entrée en un monde inaccessible de plein jour, elle est un voyage en soi, un sentiment, un songe avec lequel je commence à m'unir. Un mirage m'enchante. La nuit est mon alliée, une voie royale.

La chambre simple donne sur l'océan, le gopuram et une statue gigantesque de Shiva de quarante mètres de hauteur, couleur argent. L'air y est sain et frais, celui de la mer passe par les lames de verre. Du grand luxe.

Dormir à l'hôtel est un signe de richesse. Fumer est un signe de richesse. Posséder un 4x4, être gros, marié à une femme grosse, être désagréable, hautain et méprisant ; avoir des enfants égoïstes et obèses habillés comme de petits Américains nourris aux chips, aux sodas et aux glaces, à la télévision et aux jeux vidéo, également. Personne n'envie ces Indiens parvenus qui s'occidentalisent affreusement : ils perdent aux yeux de tous leur spiritualité et leur vie intérieure. Ils inspirent de la compassion, de la crainte, de la pitié, rarement de l'envie. La richesse est la faveur d'une ancienne vie, elle devient un bienfait si elle s'accompagne d'humilité, de dons et de générosité, sinon elle est annonciatrice de malheur. « C'est un karma difficile, me dit l'un d'eux à l'hôtel, j'aspire plus à une vie juste qu'à une vie d'abondance. »

En France, mon amie Yona vient de perdre son père. J'achète un collier de fleurs en offrande. J'entre dans la mer, l'eau aux genoux, le collier flotte quelques secondes avant de disparaître. Il ne réapparaît pas plus loin, ni plus tard. Un esprit l'a avalé : l'esprit de Mother India. Je m'attendais à le voir onduler à perte de vue mélancoliquement ; la mer d'Oman l'a englouti en quelques secondes et ne l'a pas recraché. Une métaphore de ce pays qui vous absorbe dès vos premiers pas.

Le bassin si poétique du temple de Shiva est en plein jour une mare verte d'eau croupie et nauséabonde. Détritus, rats et cancrelats nagent à leur aise. Aucune ferveur sinon celle de la présence de la mort.

Le gopuram, la porte du temple telle une tour, s'élève sur la plage, au pied de la statue démesurée et kitsch de Shiva. Un musée retrace la vie du dieu par des scènes caricaturales accompagnées de musiques sirupeuses.

Le gopuram est en béton gris, sans charme. On y monte pour la vue, non pour la spiritualité. On prend simplement un peu de hauteur. La foule laisse ses sandales et ses chaussures de ville à la porte ; elles sont gardées et rangées par classe sociale. Mes sandales pauvres et sales sont parmi les centaines de sandales pauvres et sales ; disposées proches du gardien les sandales en plastique, accrochées aux murs les chaussures de ville poussiéreuses et sur des planches de bois en hauteur, les rares chaussures de ville immaculées, inatteignables comme des objets sacrés. Les sandales sont prises avec les mains. Les chaussures de ville avec un crochet.

Les pieds nus sur les dalles rafraîchissent les corps et libèrent l'esprit, en contact direct avec la terre. L'ascenseur payant est obligatoire, les escaliers sont fermés. Un jeune sourd-muet invite à la visite. Un sourd-muet est notre guide, nous sommes en Inde. Il appuie sur le bouton de l'ascenseur et signale l'arrêt de l'étage d'où se dévoileront la baie et la coco-terais, les jeunes jouant au cricket sur la plage, les pirogues alignées et les toits de tôle. De l'autre côté, l'océan frappé d'argent par le soleil où tanguent les boutres des pêcheurs et la statue de Shiva. L'air s'engouffre en filet étroit et siffle par les meurtrières. Le jeune sourd-muet me rattrape alors que je tente de m'échapper derrière la corde qui interdit l'accès à l'étage supérieur, le dernier. Il use d'un charme hypnotique. Je le prends en photo, il se recoiffe, s'enquiert de mon prénom, fait comprendre le sien en mimant un serpent qui ondule et lève droit sa tête. Puis il articule clairement et souffle « Cobra ». Nous nous retrouvons seuls : il a fait descendre les touristes sans les raccompagner. Il me rejoint près d'une fenêtre donnant sur la plage où se baignent les saris colorés des femmes, jeunes et vieilles, où les adolescents hystériques en tee-shirt et en short blancs se poussent et se jettent à l'eau en criant. Son visage proche de mon visage, il m'effleure de son haleine ; j'évite l'intensité de son regard, la chaleur de son désir. Son intention si claire, si directe, me met dans l'embarras. Je pourrais l'embrasser, le prendre dans mes bras, le caresser et plus encore, mais je m'en sens incapable. Blotti dans une honte soudaine, le désir me manque ; je me vois lui refuser ses avances.

Nous nous tenons l'un en face de l'autre dans l'ascenseur, je ne le regarde pas, baisse les yeux au sol. La chute est interminable. Il frôle sa main à la mienne, je le regarde et lui sourit. Il répond par un sourire triste. Les deux battants de la porte s'ouvrent et un groupe de vieillards indiens s'engouffre avidement. Je lutte contre le flot pour ne pas être confondu par la vieillesse aveugle. Je sens dans mon dos, sur ma nuque, le regard du désir. Je ne me retourne pas.

Sans avoir déjeuné, je marche sur la plage déserte, torse nu et pieds nus. Mon corps et ma tête sous l'eau verte trouble d'alluvions. Je fais la planche, le ciel ondule, les profondeurs grondent.

Le vent et le soleil me sèchent. Un garçon d'une vingtaine d'années s'avance. Je remets mon tee-shirt, ajuste mon pagne. Tout en parlant, il découvre son ventre brun, duveté et luisant, se caresse le torse, et me regarde droit dans les yeux. Ses lèvres brunes brillent de gouttelettes d'eau, ses yeux étincellent. Ce garçon provoque des désirs imaginaires, des consolations possibles, reflets de mes espoirs, de mes fantasmes. Il s'ouvre d'une manière dangereuse : argent contre amour, récompense contre satisfaction. Je ne lui donne aucun accès, aucune espérance. Pourtant il m'a perçu. Je suis dévoilé si facilement depuis mon arrivée. Les Indiens ont-ils à ce point une compréhension intuitive des autres qu'ils reflètent mes désirs ? Suis-je de plus en plus sans façade, sans défense, dans le dénuement ? J'imagine son jeune corps souple contre le mien qui vieillit. C'est tout ce que je m'accorde.

Quatre jeunes hommes posent enlacés. L'un d'eux est le sosie parfait de mon frère disparu. Je ne m'en rendrai compte qu'à mon retour, à travers la photographie révélée. Sur l'instant, je suis aveuglé.

L'imaginaire me ravit. L'imaginaire m'empoisonne. Je ne suis pas attiré par ces jeunes hommes alors que je les trouve gracieux, charmants, sensuels. Séduisants mais non sexuels. J'ai un besoin profond de fraternité, de complicité, de les embrasser, les caresser, les étreindre, dormir avec eux, mais sans rapport sexuel. Une relation de tendresse et d'amour fraternel ; l'amour pur, sans la possession, sans le meurtre.

La terrasse du restaurant donne sur le nocturne de la mer. Deux hommes me fixent avec une insistance dérangeante ; ils appellent un des serveurs qui se retourne vers moi, le questionnent à mon sujet, l'un d'eux lance un sourire féroce. Je change de table, tourne le dos à la violence des regards. Les jeunes serveurs sont charmants, nous nous taquinons à chaque repas ; cette amitié déclenche-t-elle une hostilité, une jalousie ?

S'agit-il d'hindous intégristes aux yeux desquels je mérite la mort du simple fait d'être chrétien ? S'agit-il de police des mœurs luttant contre la pédophilie, la prostitution, l'homosexualité ? Suis-je suspect ou confondu avec un autre ? Un Occidental voyageant seul pose-t-il des problèmes de morale ? Sont-ils au contraire des pervers ? Ces sales types de mes songes d'inquisitions réveillent un fond de paranoïa et de défiance.

Le plus vieux des serveurs, d'une vingtaine d'années à peine, que j'avais supposé homosexuel du fait de ses attitudes et de ses regards appuyés, me serre la main lorsque je quitte le restaurant. Dans cette trop longue poignée de mains, il caresse discrètement son majeur à ma paume, avec un sourire complice : code secret homosexuel que je pratiquais lorsque j'avais quinze ans.

Sur le chemin d'un des plus anciens temples à la gloire de Krishna, je fais la connaissance d'un autre jeune homme. Son apparence, sa personnalité, une perception de sa présence souple, légère et profonde, son regard et son attitude douce me sont familières, intimes. La réalité se trouve derrière ce que nous voyons. Je ne le rencontre pas vraiment, je le perçois comme un reflet que j'interprète et qui me manque. J'intercepte ce qui m'échappe en lui : il ressemble à mon frère. De nombreux Indiens de vingt ans me font penser à lui, à mon frère décédé, par leur tendresse immédiate, leur écoute, leur timidité chaleureuse, leur rapport au monde et aux autres, leur humour, leur vision singulière et leur fraternité. Sans le savoir, ce jeune homme crée un refuge de gentillesse, d'intelligence et de simplicité ; un être refuge.

Je ne peux m'empêcher de penser que si mon frère avait eu la chance de naître en Inde plutôt qu'en France il ne se serait pas suicidé à dix-huit ans. Il aurait été accepté avec ses faiblesses et sa fragilité, avec son étrange douceur, sa mélancolie, sa singularité de jeune homme. Il aurait pu trouver sa place.

Refuges

Pieds secs, gris de poussière, abîmés, tordus, écornés, écorchés, pieds bots, épais, épatés, d'éléphants, de bébés potelés, fins d'adolescents, qu'on lave, pieds écrasés de misérables, à la corne fendue, aux orteils absents, rongés de lèpre, entourés de bandelettes humides, pieds bagués, aux bracelets d'argent, aux clochettes de cristal, pieds d'« intouchables » meurtris, de déesses, nourris, huilés, bouffis, boudinés, pieds élancés, délicats comme des mains... Pieds qui ressemblent aux visages dont je lis la souffrance, le travail et le repos, l'endurance, la lassitude et le confort, la jeunesse, la sécheresse et bientôt la mort.

Je partage mes heures de sommeil à côté des pèlerins au centre du temple, à même le sol. Parmi les vieux et les enfants, les souris et les cancrelats, les vaches et l'éléphant. Je n'ai trouvé aucune chambre de libre, pas un seul lit. La journée, je laisse mes affaires sans craindre le vol ; un vieux et un commerçant m'assurent de ne pas m'inquiéter : le voleur aurait la main tranchée. Je me lave au bain public avec les hommes, les enfants et les rats. Un petit rat a porté sur son dos Ganesh l'éléphant, dit la légende. Il se lave à mes côtés, sans craindre d'être chassé. Les hommes exécutent une toilette attentive, précise et rapide, ils sortent rayonnant, huilés, parfumés. Malgré la saleté et la poussière constantes, je n'ai jamais rencontré de gens aussi propres. Je me laisse aller à l'inconfort apparent, je trouve en retour la fatigue, l'abandon, une disponibilité, un partage avec les autres, une joie brute, massive, suffocante, indicible.

Je me rendais l'existence impossible à vouloir agir, devenir, penser. Plus j'abandonne sans résistance à *être* et plus je me nourris et me ressource sans effort. Mes peurs sont un carcan d'oppression, un joug de hantises. Que puis-je réellement craindre, la perte ?

Comment exprimer ce sentiment étrange et absurde que la source de la vie pure se trouve ici ? Ce qui paraissait chaotique est un agencement du désordre, un équilibre vital, une voûte où chacun est abrité.

Ce n'est pas un temple mais un sanctuaire ; un ensemble de vieux temples de bois et de pierres, de tailles différentes, continuellement restaurés, réparés depuis dix siècles, riches d'alcôves, de galeries couvertes, de promenoirs, de cloîtres, d'une cour qui encercle le temple principal, de petites échoppes attenantes, aux nourritures végétariennes, linges et objets de cultes, encerclés par un haut mur d'enceinte majestueux et délabré. Un village foisonnant de vitalité, en retrait ou au cœur de la ville je l'ignore. Comme les lieux de cultes au Moyen Âge chrétien, des refuges occupés de prières et de commerces, débordant de vie et d'échanges. Des centaines de milliers de pèlerins viennent honorer Krishna, une foule abondante séjourne, d'innombrables sectes, castes et rites se mélangent ; traces vivantes de l'ancienne religion, le berceau de l'Inde, avant les Aryens et les colonisations.

Je m'endors d'épuisement à proximité de l'éléphant, sa présence apaise et gronde comme un orage. Son appel perce la nuit, résonne au milieu des hommes. Je me sens en sécurité, je ne saurais l'expliquer sinon que son souffle et sa masse me rassurent. Son balancement, son enchaînement, son regard d'une puissante alliance m'émeuvent. Une mélancolie redoutable me prend la nuit à ses côtés. Un sentiment très ancien, un attachement à la nuit des temps, inexplicable.

Ganesh barrit et lève au ciel sa trompe lorsque je lui offre des bananes. Son cornac refuse mes offrandes avec des attitudes de proxénètes ; je lui casse son business : L'animal bénit les fidèles contre des roupies ; la personne avance, dépose les pièces dans la trompe qui se tend, puis se met en position de prière, mains jointes à hauteur de poitrine ou de visage ; l'éléphant touche plus ou moins délicatement de sa trompe le front ou le sommet du crâne de la personne et remet l'argent au creux de la main du cornac.

Le soir, celui qui bénit est enchaîné. Fers et chaînes le contraignent au balancement d'une jambe sur l'autre. Il tonne une libération qui ne viendra qu'avec la mort ; il a pour malheur d'avoir rencontré des humains qui ont jeté sur lui leur dévotion. En échange, Ganesh « soulève » les obstacles de leur illusion et de leur ignorance. Ceux qu'il bénit le jour le condamnent à l'enchaînement à vie. Une larme à son front resplendit. Dès le lever du soleil, l'éléphant exécute son travail. J'observe le rituel des gens amusés et effrayés, fervents et craintifs. L'éléphant tourne son énorme tête vers moi, tend sa trompe et la lève vers le ciel sans aucun bruit, en une fixité statuaire. Quelques secondes suspendent le temps. Les gens ont sursauté, extatiques et médusés, ils me regardent, mains jointes, recueillis, ils me saluent.

J'offre autant de bananes au cornac, ce qui arrange considérablement nos relations. J'ai changé de place afin de dormir plus près de l'éléphant. Je le ressens comme « humain », je me sens proche de *sa présence humaine*.

Je l'avais remarqué lorsque j'arrivai en train ; il marchait pieds nus au bord de la route, dans la poussière des fossés, seul, droit et résolu, auréolé, son instrument de musique attaché au dos telle une chimère. Un démon d'une beauté parfaite, un ange en tunique aussi noire que ses cheveux longs, joue du sitar retiré au creux d'une alcôve du vieux temple. Un sortilège baigne le lieu et féconde les esprits. Le son du sitar ouvre un temps au tumulte, au cosmos, une bulle intérieure, une musique organique, de nerfs et de sang, de cellules et de songes. Une, puis vingt, quarante personnes s'assoient. Il joue, ne prête attention à quiconque, et poursuit l'approfondissement de son univers, l'errance de sa mélopée.

À l'intérieur du temple de bois noir et rouge, d'autres autels décorés de divinités, dont un central, refermé sur lui-même, préserve Krishna des regards, un temple à l'intérieur du temple. Une file d'attente s'allonge afin de « le » voir et de l'honorer ; Krishna est caché au cœur de la foule. On ne peut avoir accès au dieu que par une fenêtre de bois *moucharabieh* épais et pourpre.

Des vieilles assises en tailleur sur le sol tressent des colliers de fleurs odorantes, des prêtres distribuent l'eau du Gange que l'on boit contre des roupies, des enfants dorment ou jouent au milieu des pèlerins ; la foule effectue ses rituels de dévotion, signes, prières, dans le sens des aiguilles d'une montre autour du temple ; les pèlerins frappent les clochettes de leurs mains afin d'exaucer leurs vœux. Un prêtre gras vérifie du coin de l'œil si on l'observe, et frappe doublement les cloches ; il transpire l'alcool et la concupiscence, bonimenteur de foire. Le Darshan est l'apparition de la divinité, sa révélation ; la grâce que la divinité accorde en se montrant. La seule vue du dieu produit des effets bénéfiques, il s'agit d'être *vu*, d'être reconnu par lui. Chaque personne défile devant l'unique fenêtre, s'attarde, cherche le bon angle de vision. La file d'attente abordable, je me glisse derrière les derniers. Une jeune femme porte un collier modeste, un anneau d'or fin au nez, des boucles d'oreilles et des bracelets à ses chevilles, elle s'arrête, concentrée, cherche à travers les espaces de la fenêtre, son attention se fixe, captivée par la vision ; ses yeux s'ouvrent grand, puis se referment aussitôt. Elle prend une inspiration profonde, serre son sari contre sa poitrine et se détourne, troublée, comme embrassée, dénudée.

Je m'avance ; la fenêtre épaisse est peinte d'un rouge ancien, l'intérieur est sombre. Je ne vois rien, ne perçois qu'une faible lueur de bougies qui oscille, quelques éclats troubles. Ma vue s'habituant à l'obscurité, je distingue la masse sombre d'une roche noire, étrange, bénie d'huiles votives qu'un collier de fleurs délicat entoure : une masse solide et vibrante, le cœur ténébreux du monde. Mes yeux se ferment, la vision est pure, l'émotion intense, je me détourne, atteint par la présence minérale, surpris par son étrangeté, par son étreinte sacrée.

« Beaucoup d'errants parcourent l'Inde. Des milliers abandonnent leur vie précédente », dit cet homme de soixante-dix ans. Il a depuis cinq ans visité plus de deux cent cinquante temples, parcourant le continent. Maigre, sa tenue blanche flotte autour de son corps comme un halo. Sa barbe n'a jamais été taillée ni coupée depuis son départ. Pieds nus, il porte comme unique bagage un parapluie noir contre le soleil. Il a été marié, a eu trois enfants, une maison, une famille, un travail bien placé dans l'administration des postes, une retraite. Puis il a abandonné ses biens matériels et a renoncé à tout, à sa famille surtout. Il poursuit cette route d'ermite et de mendicité jusqu'à la mort. Devenir ermite, c'est retrouver la liberté, murmure-t-il.

Tolstoï prêchait une théorie de l'amour universel aboutissant à l'ascétisme. Lorsque le vieil écrivain au seuil de sa mort, fuyait sa vie familiale et s'égara dans ses songes : « Je ne mourrai pas dans cette maison. J'ai résolu de partir pour un lieu inconnu, où on ne saura qui je suis. J'irai peut-être tout droit à votre chaumière pour y mourir. Seulement, je le sais d'avance, vous me rudoierez ; nulle part on n'aime les vieux. » Tolstoï, perdu dans une gare, rejoignit sa solitude, son vœu, sa liberté.

Sadhus aux vœux délirants, aux regards hallucinés, respectés par crainte et par dévotion. Nus, recouverts de cendre, de poussières d'os, sans écorce. Celui qui ne parle plus, celui qui ne pose plus son pied droit à terre, celui dont la langue est traversée d'une aiguille. Nombreux ont été jadis exclus, rejetés, marginaux instables, considérés comme des cas pathologiques, des anormaux, par leur famille, leur village, leur caste. La société les a bannis. Elle leur permet de la rejoindre par le biais de vœux sacrificiels, de la magie et de la mystique. Ils finissent par retrouver une place, deviennent des exemples de renoncement religieux, symbolisent le refus du monde et de la réalité matérielle.

Je fais partie de la vie de ce temple. Depuis une semaine, je ne suis pas sorti de son enceinte, je n'en ressens aucun besoin. Je m'y sens bien, porté par un flux paisible, je ne me pose pas de questions, je suis là, pieds nus, couvert de poussière, je parle peu, mange peu. Mon esprit est serein, en accord avec ma conscience. Être le seul Occidental parmi des milliers d'Indiens sans aucun jugement me facilite le lâcher-prise. Dans la poussière parmi eux, je me trouve. Il ne s'agit pas d'expliquer, de dominer ni de contrôler sa vie et l'univers, mais d'en faire partie.

Je me repose auprès de l'éléphant, je m'endors comme une souche en équilibre sur un bout de ciment. L'anormalité est devenue la norme. « Le plus court chemin de nous-mêmes à nous-mêmes est l'univers », écrit Malcolm de Chazal.

Feux de Bengale, fusées menaçantes, explosions, fumées épaisses, le ciel est illuminé d'éclats. Ganesh a revêtu sa parure dorée, les gens s'écartent. La musique est tonitruante, primitive, mythique ; trompettes, cors, clarinettes, tambours, tablas et cymbales, chaque formation de trois à cinq musiciens joue sa musique sans se soucier des autres. Enchevêtrement de sons sourds, aigus, nerveux, lancinants, rythmés comme des transes de free jazz. Un prêtre fait le tour d'un bassin sur une barque, entre les musiques assommantes et les flammes des torches ; l'obsession de l'eau et de la purification par le feu hante les cérémonies. Le vieillard marmonne une prière, quelques vers sanskrit, la musique redouble de force. L'air embaume l'encens, le musc, les fleurs sèches, le jasmin, le santal, la bouse de l'éléphant, celles des vaches, la poussière, la poudre brûlée, les corps lavés et talqués. D'énormes tours de bois sur des roues millénaires sont tirées et poussées par les dévots, elles bringuebalent, semblent à tout moment rompre. On suit ces géantes en un cortège de liesse ; les musiciens se perdent, se rejoignent, les gens heureux, les yeux maquillés des enfants qui courent entre nos jambes, les pétards et les feux explosent, la fumée et la poussière piquent yeux, nez et gorge, les torches et les cœurs fiévreux éclairent la nuit. Parmi la foule propulsée en un temps très ancien, au-delà de la mémoire.

L'aube m'offre sur une planche de bois discrète posée contre un mur : « Le cerf contient le musc, mais il ne cherche pas en lui-même : il erre en quête d'herbes. » Cette phrase, tirée des poèmes de Kabir, est traduite et signée en anglais par Rabindranath Tagore, le grand poète. L'analogie de la tradition indienne est celle du cerf porte-musc : tout être humain, qu'il en soit conscient ou non, est en quête du divin. Le cerf sent le parfum du musc, mais il ne sait pas que son corps dégage cette odeur, il en cherche la source ; il se met à courir à travers la forêt et, plus il court vite, plus l'odeur se diffuse et se dissipe. Il s'arrête épuisé. Mais l'odeur revient plus forte, et il se remet à courir. Jusqu'à ce qu'il réalise que la source du parfum est en lui.

L'« express » ne marque aucun temps d'arrêt, tout au plus il ralentit. Les passagers sont sommés de s'accrocher au bus et se jettent à l'intérieur. Ne jamais observer le trafic, fixer son attention sur le paysage qui défile et sur l'autel dédié à Ganesh derrière le chauffeur. Prendre le bus, c'est mettre sa vie en péril et sa foi à l'épreuve. Au-dessus du rétroviseur une pancarte : « NO... MOKING ».

Le Moyen Âge à l'ère du plastique et du téléphone portable. D'immenses panneaux publicitaires gâchent le panorama : *Use mobile, save paper*. Utilisez les téléphones portables, sauvez le papier. La fumée des pots d'échappement, les égouts et le plastique côtoient les chansons sirupeuses et frénétiques, les vaches complotent en ruminant les câbles des satellites. Des grues blanches claquent leurs becs sur les immondices, une cigogne au milieu du trafic gobe des insectes. Il n'y a pas de vitres, parce qu'il n'y a pas de fenêtres. Des barreaux horizontaux pour la « sécurité » et de jolis rideaux à fleurs, noirs de crasse, vous caressent le visage. Mes voisins me frôlent avec naturel, d'autres évitent le contact physique et visuel malgré la proximité et la promiscuité. Un homme se tient debout dans l'allée bondée, son aisselle à hauteur de mon nez. Ma première réaction de gêne dépassée, je sens une odeur suave et sucrée, non celle d'un mélange de déodorant et de transpiration aigre. Il n'y a aucun énervement, aucun accrochage, aucune brutalité en dehors du chaos de la route. Malgré l'inconfort et l'épuisement dus aux secousses, les gens sont calmes et restent attentifs.

Je mets dans ma poche mes lunettes de soleil. Lorsque je veux être tranquille, je les remets ; les Indiens abandonnent leur recherche d'altérité et deviennent aussitôt indifférents.

Un village en haute plaine. J'arrive laminé par six heures de bus sur des routes chaotiques. Des chiens se partagent une charogne ; il n'y a aucune chambre libre ; la réserve des éléphants est fermée au public. La sécheresse rend les visites impossibles, le feu a ravagé la forêt primaire, les éléphants, à la recherche de nourriture et d'eau, deviennent imprévisibles et dangereux. Les éléphants sauvages n'existent plus. Comme les tigres, ils ont été décimés en majorité par des étrangers riches sans scrupule. Ils ont tué les tigres du haut des éléphants, puis tué les éléphants du haut d'hélicoptères. Que dire sinon que ces hommes sont la honte de l'humanité ?

Je reprends un bus. Il me reste six heures de route pour rejoindre la prochaine ville et espérer un lit convenable. Nous descendons une montagne sacrée. Des singes copulent et se branlent allègrement, yeux écarquillés, bouches formant des « oh » et des « ah », l'air grivois et malicieux ; ils forniquent devant les cars de touristes indiens, sur le rebord des fenêtres, le capot des voitures, les rambardes de sécurité. Mines de surprises partagées, les touristes ont beau jeter cacahuètes et friandises, les singes préfèrent éduquer les enfants d'humains à la sexualité débridée, par-devant, par-derrière, à trois, à quatre, voyeurs, exhibitionnistes, branleurs, actifs, passifs, sodomites ; une immense orgie ! Le pays du *Kâmasûtra*.

Douze heures de bus. Toutes les chambres sont prises. J'opte pour la prochaine disponible, sans négocier, chère et neuve, sans fenêtre, au sous-sol d'un nouvel immeuble infesté de moustiques, elle sent les égouts et l'humidité. Le réceptionniste met quarante minutes à m'enregistrer ; j'observe les aiguilles de l'horloge au-dessus de sa tête d'oiseau mal nourri. Photocopies de mes papiers, photocopies recopiées à la main, puis photocopies de la photocopie recopiée de sa main ; il pose des questions : si je suis seul, si je suis un homme, une femme. Je pense qu'il plaisante mais non, il poursuit solennellement, si je compte faire venir des étrangers, des étrangères, des « locaux », si je suis hétérosexuel, marié, célibataire, profession, revenus, d'où je viens, l'adresse précise exigée, où je vais, l'adresse précise exigée, téléphone à son patron devant mon incertitude et mon désespoir, puis aimerait téléphoner à l'ambassade mais il est 21 h. Il cherche avec soin le numéro de l'ambassade. Les nerfs à vif, je m'assoie, ferme les yeux, je ne réponds plus ; les moustiques se régalent d'avoir un client. Les formalités policières terminées, il me demande *juste* d'attendre *un petit quart d'heure* avant de *pouvoir me remettre la clef de ma chambre*. Son patron arrive, à son tour pose les mêmes questions ; il vérifie mes réponses, ne comprend pas mon exaspération, me « suggère » de me calmer. Je les tuerais bien tous les deux.

Je cherche un temple. Le plus proche est temporairement fermé. Je trouve un restaurant végétarien clinquant et vide ; dès que je porte la fourchette à ma bouche, je sens que mon plat est avarié. Je vomis cette foutue journée dans leurs toilettes.

Avant de rejoindre mon terrier, une petite fille m'intercepte sur le trottoir, éclairée par les phares des voitures, elle glisse sans un mot un collier de jasmin au creux de ma main. Rayon de soleil de ma nuit obscure.

Un jeune homme fait barrage contre le tumulte du monde. Quelle douceur me comble et m'abandonne au sommeil ? À mon réveil, il sourit, comme s'il avait guetté l'instant où j'ouvrirais les yeux.

Nous nous arrêtons devant un gopuram de scènes mythiques, couleurs vives, animaux colorés, dieux et déesses peints et sculptés, comme l'étaient les statues et les scènes des temples grecs en leur temps. Les œuvres d'art en Inde ne sont pas signées, elles viennent, appartiennent et retournent à l'humanité.

Un hôtel se trouve au bord de l'océan, je demande à un rickshaw de m'y emmener ; on s'enfonce à travers la cocoteraie, l'air y est frais, le vent marin rend la fatigue supportable, les rayons du soleil filtrés par les palmes. Le chauffeur me dépose à un angle de chemin, indique le raccourci en direction de l'océan. Je porte mon sac, mes pieds s'enfoncent dans le sable. Des maisons de pêcheurs parsemées entre les cocotiers sortent des poules fluettes, des chats maigres. Des chiens squelettiques font la sieste. Trois enfants jouent, deux femmes préparent le repas. Je cherche, je demande. Il n'y a pas d'hôtel. Ou si, peut-être très loin.

Je reviens sur mes pas, mon sac de plus en plus lourd. Je m'arrête à la seule échoppe pour boire de l'eau. Personne. En proie à une lassitude soudaine, une longue parenthèse où je me demande quoi faire, un vortex vertigineux. Soudain un jeune passe à moto. Je lui fais signe, il s'arrête, m'explique qu'il n'y a plus d'hôtel depuis longtemps si ce n'est au bord de la route, à côté du gopuram. Les immeubles miteux entrevus.

Un complexe sinistre de chambres où logent les gens pauvres du coin, les gens pauvres de passage, et les gens perdus qui n'ont plus le choix ; un taudis que l'odeur d'égout a momifié. La chambre délabrée donne sur la route bruyante ; le lit est en fer, les draps noirs effrayants de crasse ; le sol, les murs, le plafond, les fenêtres immondes de saletés ; le ventilateur bancal couine et vrombit comme un avion ; la porte démontée se ferme par un cadenas rouillé ; la douche est un trou où s'abreuvent les cancrelats, où s'agitent de longs vers rouges autour du siphon ; un filet d'eau tiède coule difficilement, sans cesse. Mon hôte est adorable, par deux fois il demande si je suis certain de vouloir louer cette chambre. Je lui dis deux fois que je n'ai pas le choix. Il propose de faire un tour sur la plage au soleil couchant afin de me détendre.

Si je résiste, j'implose. Si j'accepte, le temps se dilatera et n'aura aucun poids. J'asperge cafards et vers en leur urinant dessus. Ça marche avec les cafards, les vers stagnent et s'excitent autour du siphon. Je me lave à l'indienne, gestes précis, économiques, efficaces, une victoire.

Je rejoins la plage.

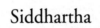

Siddhartha

Un enfant nage avec un tronc d'arbre qui flotte, il m'invite à venir le rejoindre. Les autres garçons et les jeunes hommes jouent au cricket quand les filles sont en balade, main dans la main, fredonnent des chansons. L'air est une étoffe de soie. Une jeune femme seule nourrit une dizaine de corbeaux. Son sari jaune safran s'envole avec le vent. Les oiseaux sacrés tournent autour d'elle, et finissent conquis et dociles à ses pieds. Elle me sourit, radieuse et tragique, vêtue d'un sari usé, sans aucune parure. Une reine incarnée qui ne connaît pas son destin.

Mon hôte me rejoint pendant son temps de pause. Nous discutons de la vie ici, de la vie en France. Tout me semble si loin, si éloigné et détaché que cela ne m'appartient plus d'en parler.

Nous zigzaguons entre les merdes des hommes. Le village utilise la plage comme toilette publique. Pour cette raison, les Indiens ne se baignent jamais ; peut-être ne savent-ils pas nager à cause de cela. Nous sommes gênés sans être honteux lorsqu'un vieux s'installe dans l'urgence et pousse sous nos yeux. Nous tentons de l'éviter mais la plage se rétrécie, et nous nous retrouvons nez à son cul. Nous rebroussons chemin quand d'autres se sont installés discrètement dans notre dos. Je ne suis pas écœuré, je comprends. Je me demande comment font les femmes et n'ose pas poser la question. Ça doit être agréable de déféquer face à la mer.

Je bois en compagnie de mon hôte un soda sur les marches. On ne parle pas. Des chiens blancs et jaunes vont et viennent sur la route, au milieu d'une foule silencieuse. Il dit que ce sont des intouchables, l'heure leur est réservée ; ils enlèvent détritus et cadavres. On observe les chauves-souris virevolter autour du banian funeste et vénéré. L'obscurité envahit.

Je tente de dormir, absorbé de pensées, las d'illusions d'un voyage agréable et confortable. À chaque tour d'hélice le cri aigu des chauves-souris, les pales du ventilateur cliquent et grincent, l'aboiement des chiens, les camions klaxonnent, le crépitement des cancrelats, la plante des pieds des intouchables sur le macadam. Je tombe en un puits d'eau trouble à 3 h du matin. Un petit serpent rouge, aux yeux cautérisés, doté d'une bouche humaine, gigote à l'intérieur de mon ventre et hurle jusqu'à me réveiller.

Je lis, j'écris à proximité d'un poisson psychanalyste. Depuis mon arrivée dans l'hôtel confortable et désuet des années 50, celui que je surnomme Freud ne tourne plus dans son aquarium, focalisé par mon cas. Une réincarnation sans doute. Il s'agite, effectue des soubresauts à chacun de mes passages, devient furieux, obsédé et obtus, tente de défoncer la vitre de l'aquarium en donnant des coups de sa tête hydrocéphale. Moitié poisson, moitié bison. Dès que je me rassois, il se calme, me fixe de son front protubérant, hypnotisé ou tentant de m'hypnotiser ; si je lui parle, il frétille de la tête et non de la queue. D'où son surnom.

La baie aménagée pour les promeneurs surplombe la falaise ; la promenade payante est courte, le lieu propre et délabré, dominé par un phare marin, rapaces et corbeaux le survolent contre les vents, charme désuet d'une autre époque. Les amoureux flirtent en sécurité, à l'abri des regards. Une échoppe propose des jus de fruits frais. Je lis l'autobiographie de Gandhi en sirotant un jus d'ananas. L'ombre d'un arbre chétif aux fleurs rouge sang me protège de la brûlure du soleil. Des fleurs comme des cœurs accrochés.

Le temple des Chiens est construit au bord du fleuve. D'un côté le village à flanc de colline reçoit le soleil, de l'autre le fleuve le sépare des terres agricoles. L'air est frais, le ciel dégagé renvoie une lumière rose pâle. Il se produit en cette saison des cérémonies de Theyyam une danse rituelle en l'honneur des moissons : un homme incarne un dieu, danse et bénit les récoltes à venir. La danse est la suprême incarnation afin de glorifier l'hindouisme ; les dieux eux-mêmes dansent. Des centaines de repas végétariens sont servis gratuitement ; une foule de pauvres se presse puis attend patiemment. Les chiens somnolent entre les hommes. Les familles passent leur journée au temple, font la sieste sous les deux statues des chiens qui ornent l'entrée principale, et sur la moindre marche. On m'offre le thé contre une *bonne* discussion.

« Le chien est la dernière des réincarnations. Si on se réincarne en chien, c'est un très, très mauvais karma. C'est pour ça que les pauvres viennent prier ici. » On me regarde comme le seul étranger que je suis. Des centaines de regards. Je m'assois en retrait, au fond du temple baigné par l'air du fleuve, je m'extrais. Sans le décider, je m'assois en lotus, je ferme les yeux. J'entends le brouhaha infernal de cette vie. Je respire calmement, étonné de cette respiration profonde et sereine. La rumeur de la foule s'éloigne. La vibration d'un son de cloche vibre le long de ma colonne vertébrale, sur ma peau. En moi cette résonance, un écho. Une paix profonde me surprend. Je ne me savais pas capable de ressentir une paix si ancrée.

Ces minutes ont changé mon regard, la sérénité perdure, la respiration reste profonde. Plus personne ne fait attention à ma présence, je suis devenu invisible ; l'étrangeté s'est dissipée. J'éprouve un amour, une compassion pour ceux qui sont autour, pour l'univers lui-même.

Un très jeune garçon m'observe, caché derrière un homme que j'imagine être son père. Il y a des centaines de personnes mais le regard de cet enfant transperce l'espace. Il s'adresse à l'homme et s'approche timidement, prudemment. L'homme sourit à son tour, me salue de la main. Ce petit homme est d'une beauté lumineuse, il me tourne autour sans m'adresser la parole, en une danse d'approche et de séduction. Lorsque je lui demande son prénom, il répond furtivement *Siddhartha*. Le héros de Hermann Hesse. Puis il s'enfuit et virevolte tout à coup, *And you*? sans attendre ma réponse. Il ne me quitte pas du regard, revient avec précaution, redemande mon prénom et d'où je viens. Son regard s'illumine, il repart en courant. Son père s'approche, nous faisons connaissance pendant que Siddhartha nous observe. D'où venez-vous, comment vous appelez-vous, *what is your good name*?

— Qu'aimez-vous au Kérala ? me demande-
t-il sérieusement et il attend ma réponse. Après
un long silence, je m'entends lui répondre :

— Votre fils et vous... J'aime ce qui se passe
entre nous, ici. C'est ce que j'aime le plus de
mon voyage.

— L'altérité, dit-il.

— Oui, l'altérité.

Siddhartha sourit. Un immense sourire.

Purification

Balachaudrum a quatre-vingt-dix ans. Il prend soin d'une voiture des années 1920. Un veuf exhibant le corps de son amour mort. Nous discutons de sa Fiat Balillo vert bouteille en parfait état ; elle appartenait à son père, *un autre temps de l'Inde*, dit-il, nous discutons de l'Inde coloniale. Il m'offre un thé comme un rituel funèbre lorsque je passe devant son garage. Le mausolée conserve une tombe précieuse ; dans cette tombe, le souvenir d'une tristesse ancestrale. Sa voix effacée en garde l'épuisement des pleurs nostalgiques.

Un feu éclaire la nuit, on brûle des arbres entiers. Un homme incarne Shiva, le visage rouge sang, il danse, chante autour des flammes. Un petit garçon m'explique que la vraie cérémonie commencera à cinq heures du matin ; l'homme a jeûné soixante-douze heures. Il erre dans un état second. Je demande à l'enfant s'il sera présent à cinq heures.

— C'est *une* fois dans l'année ! Cet homme est très fort, puisqu'il incarne Shiva jouant avec le feu ! Il joue avec le feu comme un dieu, mais c'est un homme !

— Comment penses-tu qu'il arrive à cette force ?

— Parce qu'il est végétarien.

— ... Et toi, tu es végétarien ?

— Non, je suis faible, un enfant, je dois manger de la viande. Lui n'en a plus besoin. La force est dans son esprit.

À l'aube, le bûcher est un tas de braises rougeoyantes d'un mètre de haut, de trois mètres sur trois de largeur, on ne peut l'approcher sans étouffer, la fournaise est incandescente. L'homme est revêtu d'une armure de feuilles de cocotiers tressées, sur cette carapace, un habit épais de feuilles de palétuviers, deux cordes lâches ceinturent son corps. La tension monte, la foule se tait. La musique bat un rythme effréné crescendo, Shiva se lève et avance. Les gens font cercle autour de lui.

Soudain un cri d'horreur, un homme tente de se jeter sur le tas de braises ; il est immédiatement ceinturé par les assistants. Shiva se jette à sa place.

Son torse en avant, son corps tombe à plat de tout son poids, il plonge ; son visage frôle les charbons rougeoyants, deux assistants le tirent aussitôt par les cordes et l'aident à se relever. Il se redresse, danse joyeusement, et se jette à nouveau sur le brasier, provoque le feu, et le feu répond en gerbes d'étincelles, en rugissements. Les escarbilles embrasent son habit. Son visage transfiguré n'est plus le même ; il n'est plus un être humain, mais un être transcendé. Sa puissance et son courage sont décuplés, sa danse le consume amoureusement, comme en un orgasme, une extase ; il danse en souriant, détruit l'ancien monde et le recrée, il ne trébuche pas, il se jette au chaos.

Shiva est le dieu de la destruction et de la création, du combat contre les illusions et l'ignorance. Son corps est entouré d'un cercle de feu.

Le jour commence à poindre derrière les branches, Shiva bénit la foule, redevient homme. Et l'homme tombe inanimé. La récolte de l'année sera excellente.

Le long de la promenade, le vent s'engouffre en rafale sous ma chemise. « Le véritable siège du goût n'est pas la langue mais l'esprit », écrit Gandhi. J'éprouve un authentique plaisir à me nourrir ici. Pas de produit laitier, pas de viande, pas de poisson, pas d'œuf, pas d'alcool. Ce qui me nourrit semble à la fois m'éveiller. Manger des animaux morts, c'est manger la mort.

Les busards se jouent des courants, le vent me délasse de la nuit passée ; baigné d'une joie d'être au monde que je n'avais jamais ressentie, je me sens reconnaissant envers la vie, reconnaissant envers ma mère. Je ressens pour la première fois la gratitude d'être né.

Un amour de ce monde m'emplit chaque jour, goûte à goûte, comme une jarre habituée à la sécheresse et au vide se rengorge, se comble et se renforce sans se fissurer. Un amour qui se désintéresse de mes désirs. Il faut un certain temps pour que la terre absorbe l'eau dont elle a manqué, afin que l'eau devienne saine, potable, claire.

La présence continuelle des adolescents et des jeunes hommes, qui a pu troubler Pasolini lors de son voyage en Inde, me trouble également. La clarté d'esprit de ces garçons, leur bonté sans intention sournoise et sans malice, leur abandon en somme à la rencontre les rendent généreux, émouvants de tendresse ; finesse d'esprit et attention aux autres ; ils désirent la relation, accordent une confiance libre de sous-entendus. Confus et surpris par tant de délicatesse et de tendresse, submergé par tant d'attention et d'affection, j'ai pensé qu'ils me désiraient.

Je rencontre peu de femmes et de jeunes femmes. Les femmes sont cloisonnées par les hommes. Elles se font discrètes, invisibles en ma présence, elles m'évitent. Une seule a montré un intérêt sensible : nous étions dans le train, je discutais avec ses frères, elle s'excusa, disparut, et revint coiffée, légèrement

maquillée. Elle se rassit, dévoila ses longs cheveux noirs et s'intéressa à notre discussion,
mais son frère ne la laissa jamais répondre à
mes questions, ni à mes regards ; il s'interposa
physiquement et répondit à sa place.

Je traverse en rickshaw un pont au-dessus
d'une immensité nue, un fleuve asséché. Des
hommes lavent des vêtements, d'autres
pêchent au bord des maigres cours d'eau, des
buffles se désaltèrent, de longues grues blanches sur leurs dos, les cornes et les naseaux
flottant à la surface, pareils à des bois morts.
Les bancs de sable, les herbes sèches, le reste
du fleuve dénudé. Un large papillon jaune se
dépose sur mon bras, ma tête, mon épaule. J'ai
besoin de soleil à l'intérieur de moi ; je laisse
les rayons pénétrer en profondeur, éclairer le
corps en mon corps. Lorsque je suis à peine
sec, je plonge et me laisse porter par les fluides.
Tout advient dans la douceur et la
confiance. Je logeais en une cellule alors que
les portes et les fenêtres étaient ouvertes.

Le jour se lève. Allongé sur le lit, les yeux
grands ouverts, je suis résolu ; je renonce à
avoir des relations sexuelles et à devenir
l'esclave de mes désirs et de mes besoins.
Assis sur le cou de chaque éléphant, un
homme tient une ombrelle rouge ornée de
dentelles d'or, derrière lui, trois jeunes hommes

en pagne écru et torse nu, lèvent d'immenses plumeaux crèmes et noirs, et des cibles rondes de pailles colorées. Les six éléphants se tiennent flanc contre flanc, en un mouvement léger de balancier. Leurs peaux ressemblent à du granit, à de la pierre non polie, à l'écorce des arbres ; les oreilles battent imperceptiblement l'air au ralenti, leurs yeux ronds et doux semblent hypnotisés.

Au premier appel des cors, les jeunes hommes se mettent debout, au second appel, ils hissent chacun leur tour plumeaux et cibles, bras tendus. La foule de plus en plus dense, la multitude des visages, des hommes surtout. Les femmes restent sur les bas-côtés, dans les fossés avec les enfants, détournent la tête, voilent leurs regards, ou lancent des regards agressifs lorsque je leur souris ; mon sourire semble être pris pour une invitation à coucher.

Des éléphants arrivent de tous côtés, une dizaine, une vingtaine, des musiciens, une autre foule, différents villages, Sajad et ses amis, Firos et ses amis, heureux de nous trouver parmi des milliers de gens, ils me protègent des ivrognes, de ceux qui voudraient baiser et se battre. Ombrelles blanches, vertes, bleues, pagnes rouges, orange se dressent sur les éléphants en ligne. Premier appel des cors tonitruants, deuxième appel, troisième comme des cornes de brume. On se retrouve sur une terre peuplée, une terre de poussière ancestrale qui s'élève, martelée par le poids des hommes, des dieux et des bêtes. La trentaine d'éléphants fait face à la foule, enchaînés et dociles faces aux hommes. Tous entravés. Bain de chaînes, de grelots, de pétards et de rires, de pieds nus recouverts de cendres, de regards de braise, une foule ivre de joie, de fièvre et d'alcool, ivre d'elle-même, d'amour partagé. Les musiciens exultent, les danseurs explosent, au premier appel, les jeunes hommes se dressent, les corps torses nus, sensuels, exposés, les peaux sombres luisant sous la vibration du soleil, les regards lascifs. Un songe amoureux. Il règne une excitation, une tension sexuelle, une joie érotique : un temps de batailles et de victoires guerrières. Les vagues s'agitent en surface mais l'océan sourd travaille, les profondeurs impensables grondent, les visions traversent les chairs, le ciel est empli d'éclairs encaissés. Ce monde est en relief et en creux, passant de l'un à l'autre. La poussière se mêle aux particules de lumière, la lueur du soleil couchant est d'un grain palpable qui s'infiltre dans les poumons, dans les voix ; la lumière s'incarne en nous. Je me fonds au cœur de la foule, dans le territoire des autres. Je mâche la terre qui me nourrit, le feu intérieur est attisé, l'eau inonde et irrigue la sécheresse du sol et des failles. J'aspire par tous les pores de ma peau la matière du son, de l'air, j'entends battre le cœur des êtres et le cœur des éléphants, le ciel et la terre unifiés, le cosmos. Je m'enivre du nectar de Mother India, je respire une matière qui me transforme, j'avale l'Inde entière.

Un vol de grues blanches au-dessus de nos têtes, comme les derniers mots blancs du *Palais de glace* de Vesaas : « On m'a fait don de quelque chose que j'ignore, que je ne comprends pas. Ce présent est là, à m'observer sans rémission. Il m'attend... »

Landes désertiques, chemin de fer suspendu sur les fleuves, les chiens abandonnés traînent entre les rails, les buffles trempent leur langueurs, les hommes leurs filets désarmants. Une mère éléphant et son éléphanteau à l'ombre d'un arbre se recouvrent de sable. Pies, corneilles et corbeaux en rang serré sur la balustrade du pont où le train bondé s'arrête en suspens. Nous sommes tous à la recherche d'un endroit meilleur où vivre, d'une étreinte sacrée.

Le sifflet résonne, les éléphants barrissent, le sable a recouvert mes pieds de fatigue. J'aime l'ivresse de n'être plus rien, cette sensation d'être loin, loin de ce qui me rattache, livré à l'inconnu, hors de l'identité, hors du désir. Je n'ai plus de mémoire, il me reste des rouleaux de souvenirs éparpillés. Ma langue est désertée. Je me reconnais en silence.

Ce qui advient

Les ruelles détruites qu'aucun touriste n'a empruntées, les chapelles décrépites et silencieuses, les entrepôts d'épices et les comptoirs coloniaux abandonnés. Les enfants en uniforme sortent de l'école le rire aux lèvres, les gens sortent des maisons tièdes, le temps englouti des touristes redevient celui de la vie. Deux chevreaux dorment l'un contre l'autre à l'ombre d'un poteau électrique. Les mainates sur les fils tendus dansent le twist de joie, l'air de l'océan embaume l'odeur des fleurs de frangipaniers. La visite est finie, le chahut de la grande ville s'agite au loin, de l'autre côté de la rive, sous un nuage de pollution et de poussière. C'est l'heure des amoureux, sur la digue, ils observent la célébration de leur amour : un soleil rouge flamboie et s'abîme dans une brume opaque et mélancolique.

Sur un tronc d'arbre déraciné par le tsunami de 2004, un jeune homme m'observe lire. Abhilash parle peu et mal l'anglais, il m'invite à le rejoindre sur *son* arbre fleuri malgré le déracinement. Nos pieds nus se balancent au rythme de la brise, nos sandales restées au sol, à l'entrée d'un sanctuaire. Le corps d'Abhilash s'exprime mieux que ses mots maladroits ; mes regards lui répondent mieux que ne le ferait ma parole. Nos corps ne mentent pas, ne trahissent aucun sentiment, ils s'accordent en suspens, en une reconnaissance sereine de nos atomes, de nos cellules. Cette osmose indicible, le temps fluide passé ensemble nous portent jusqu'au coucher de soleil. Il m'aide à voir la vie comme un privilège et non comme un droit.

Comme si tout s'accomplissait, prenait place, s'harmonisait. Comme si j'étais venu jusqu'ici pour être avec Abhilash.

Les hibiscus accrochés aux ruines rivalisent de beauté ; les iris jaunes jaillissent des égouts et protègent les amoureux ; les herbes envahissent les jardins et les cimetières ; les magasins de la belle époque sont fermés, remplacés par des boutiques qui ont pillé l'Inde séculaire, destinées aux touristes de passage.

Un torse d'armure abîmé posé dans un coin que l'on cherche à me vendre : je le contemple avec une sorte de soulagement et de gloire passée. Devrais-je racheter ce que je crois avoir abandonné ? Relique d'un moi ancien ?

Une rue commerçante, proche de l'ancien quartier juif. Les juifs sont partis en Israël durant les années 50 et 60, sans être chassés d'Inde, un des rare pays à ne pas avoir organisé de persécutions à leur égard. Pratiquant l'homogamie, la communauté juive s'étouffa, créant de nombreux enfants consanguins ; restent quelques familles aux présences étranges, dépeuplées, en attente de départ. L'ancienne synagogue est bondée de touristes en bermuda. Les tombes du cimetière rappellent l'importante communauté. Plus de tombes que de vivants. Là, aucun touriste ne s'y ennuie.

Un commerçant m'invite à boire un soda frais. Une svastika trône au-dessus de son bureau, symbole presque identique au drapeau nazi ; en Inde, elle est le symbole des jaïns, une forme fondamentale de l'hindouisme ; la croix symbolise les forces cosmiques et le bien-être, par son léger déséquilibre ; déséquilibre que les nazis firent disparaître. Il remarque le livre dont je ne me sépare pas. La mère de Gandhi était jaïn ; Gandhi fut élevé au cœur de cette religion répandue au Gujarat ; elle professe la non-violence radicale, l'*ahimsa* « l'absence de violence », qui conduit à la préservation de toute vie humaine et animale.

– Les jaïns sont doux comme des fleurs, fermes comme des pierres, ce sont des commerçants hors pair, dit-il en riant.

Il m'explique la multiplicité des différents points de vue que les jaïns ont de toutes choses. Par exemple sur l'or dont il fait le commerce, il est un jaïn laïc : point de vue modal, substantiel, pratique ou de bon sens, point de vue pur ou réaliste, et point de vue spirituel.

— Aucun de ces points de vue ne peut être déclaré seul valable. Ces sept points de vue s'harmonisent afin de prendre en compte la relativité des différents aspects de la réalité. Le système n'est pas unique mais multiple. Lorsqu'en Europe vous opposez deux points de vue binaires, simplistes et catégoriques, nous en proposons au moins sept... Sinon seize, comme une multitude de possibilités reflétant la complexité du monde et de la vie.

Il m'offre une affiche représentant les différentes catégories d'êtres vivants, selon le nombre de leur sens.

— Plus une créature a de sens, plus elle jouit, et plus elle souffre... cela te parle ? dit-il dans un éclat de rire.

Abhilash m'attend tous les jours, à la même heure, sur sa branche qui est devenue notre branche ; il a gravé naïvement avec un couteau mon nom à côté du sien. Cela m'amuse et m'émeut. Nous laissons advenir ce qu'habituellement la parole détourne. Il n'y a pas de futilité, pas d'urgence. Chaque chose repose à sa place, en son temps. Chaque particule de mon être se trouve en paix en sa présence. Avec lui, la vie est une alliée, non une rivale.

Ce que nous n'arrivons pas à nous dire, nous l'exprimons par nos regards, nos sourires, nos corps, par notre incapacité à dialoguer. Accepter quelqu'un près de soi dans le silence est une faveur qu'on lui accorde et qu'on s'accorde à soi-même, une marque d'estime partagée.

Le soleil rayonne sur son visage. Ma main caresse la sienne. Nos regards se reflètent. Ce qui est impérieux se trouve avant le langage, précède les mots, au cœur de ce que nous éprouvons l'un de l'autre, l'un avec l'autre.

Ce qui est important est la chose évidente que personne ne dit. Chaque jour, mon cœur bat plus fort à l'approche de l'arbre déraciné.

Gloucester aveugle répondait à la question du roi Lear, « Comment vois-tu le monde ? » par « Je n'ai pas besoin de le voir, je le ressens. »

Abhilash me demande si je veux voir un éléphant blanc et, devant mon étonnement, me saisit la main et nous montons sur sa moto ; nous longeons la mer, quittons la route pour un chemin de terre pourpre, nous nous enfonçons en forêt. Les couleurs surexposées sont surréalistes, le vert vif et intense, le rouge-pourpre de la terre, le bleu dense du ciel, un territoire rêvé. Les oiseaux ne semblent craindre personne. Je cligne des yeux à plusieurs reprises, pris d'accès de somnolence. Nous traversons des champs de caféiers, d'arbres à caoutchouc, de canneliers, les odeurs aussi denses que les couleurs. Abhilash arrête son moteur, nous marchons sur un sentier, nos pas s'enfoncent, nous suivons des traces anciennes que la nature a recouvertes. Nous croisons un paysan chargé d'un fagot de bois qui nous dévisage. Abhilash ne lâche pas un mot, il sait exactement où nous allons, je me rends compte que je le suivrais les yeux fermés. Je pense aux serpents, aux araignées, aux tigres, à la rareté de l'éléphant blanc, à son mythe. Abhilash hésite entre deux nouvelles traces, entre deux arbres, nous marchons depuis une demi-heure, j'ai l'impression que nous avons tourné en rond, en spirale. Puis il s'arrête net, montre du doigt le chemin à suivre : je ne perçois rien qu'une voie sombre au milieu des arbres hauts, quelques pierres de ruines au sol. « Avance », fait-il d'un geste. J'avance attentivement. Aucune trace d'éléphant, ni de son souffle, mais une masse claire apparaît à dix mètres, qui ne bouge pas ou si peu. Je m'arrête, mon cœur bat fort, Abhilash met sa main sur mon épaule et me redonne courage. La masse bouge imperceptiblement. Nous ne faisons aucun bruit, seul le bruissement de la forêt, le chant des oiseaux, le battement de nos cœurs. Je prends garde où je pose mes pieds, j'enjambe un tronc d'arbre mort. La masse s'éclaircit, un rayon de soleil l'effleure. Un éléphant taillé dans la pierre blanche. Un éléphant blanc millénaire au cœur de la forêt.

Si ma porte se situe non loin de notre lieu de rendez-vous, Abhilash tient à me ramener à moto, chaque soir. C'est la possibilité de nous serrer l'un contre l'autre, de nous sentir au plus près. J'entoure son ventre de ma main, sans pudeur et sans crainte, mon autre main repose sur son épaule, mon nez contre son cou. Il pose sa main sur la mienne contre son ventre ou sur son épaule et la serre. Nous ne parlons pas, nous frissonnons ; les mots désertent, la pensée démissionne. Le chemin le plus court est soigneusement évité. Arrivés au coin de ma rue, je ne veux pas d'un malentendu avec mes hôtes et embarrasser mon ami. De la main, nous nous montrons le chiffre 4 : « Rendez-vous à quatre heure demain à l'arbre. » Je lui caresse maladroitement la joue ; ses lèvres frôlent la paume de ma main.

Je discute avec le commerçant jaïn de « ceux vêtus de blanc, vêtus de ciel et d'espace ». Certains jaïns pratiquent la mort pacifique par le jeûne afin de respecter leurs vœux de non-violence et d'ascèse, en raison de leur grand âge ou d'une maladie incurable.

L'invisible se dévoile, la part manquante, la connaissance profonde et fondamentale. Ce qu'il dit est à la fois limpide et complexe, correspond à ce que j'ai ressenti et éclaire ce qui restait confus. Mon hôte possède des clefs, vend de l'or, et offre sa connaissance. Je lui parle de ma rencontre avec Abhilash. Il dit : « Une complicité spirituelle vous unit, elle est essentielle entre les êtres. Rien ne peut être correctement entrepris sans elle. On dirait que vous vous êtes rencontrés. »

J'attends Abhilash le cœur battant, imaginant toutes sortes d'empêchements, de complications, d'arrestations, de renoncement, de hontes aussi. Je ressens la joie de le voir arriver, nonchalant, sourire éclatant, le regard lumineux, une tension contre sa poitrine. J'aime son odeur, son visage, son regard tendre, ses lèvres, sa bouche ; j'adore sa nuque, sa voix, ses silences. Sa respiration à mes côtés m'apaise. On ne s'éprend que de ce qui nous manque et que nous ignorons.

Il m'apporte une fleur de frangipanier ; j'y sens mon âme. Nous évoquons en plaisantant que je pourrais vivre ici, je pourrais l'aider à monter un petit garage. Nous pourrions être heureux ensemble, être en paix. Puis nous nous arrêtons de sourire, submergés d'espoirs et de craintes. Quelque chose s'est décidé en nous, à notre insu, quelque chose en nous s'est délié.

La douceur éphémère de l'existence me fait frémir. Désirer nos corps qui se désirent sans se rejoindre, c'est éprouver le désir pur. Nos cœurs plongent dans les racines de la vie.

J'ai pensé que je ne serais jamais plus heureux qu'à cet instant, main dans sa main, entourés de silence.

Je caresse la nuque d'Abhilash. J'ouvre la porte de ce qui a été retenu depuis notre rencontre. Abhilash se blottit contre moi, m'étreint de toute ses forces. Il se fond en mon corps, s'imprime, imprègne sa présence.

Il promet que si un jour il a un enfant, un garçon, il le nommera Alexandre. La chair de sa chair.

Épilogue

Pas une nuit où je ne m'endors sans voir le visage d'Abhilash à côté du mien. Au petit matin son sourire m'accueille. Je m'accroche simplement à nous, quelque part en moi. Pas un jour ne passe où je ne pense retourner là où je fus heureux d'être moi, avec peur et sans recours. Je reconnais que j'étais présent au monde, entier, en harmonie. Je me suis reconnu dans cette expérience intérieure et intime, cette bulle de songes et de vérités nues. J'ai reconnu mon être et mon esprit. Je n'étais pas seul.

Quelque part, en un temple bondé et bruyant, un petit Alexandre accompagné de son père allume une flamme de lampe à huile.

Abhilash en hindi signifie le désir.

TABLE

ACHEVÉ   D'IMPRIMER
EN   FÉVRIER   2014
SUR LES PRESSES DE
CORLET   IMPRIMEUR
À CONDÉ-SUR-NOIREAU
C   A   L   V   A   D   O   S

Numéro   d'édition :   1050
Numéro d'impression : 161291
Dépôt   légal :   mars   2014
Imprimé   en   France